新 潮 文 庫

しゃぼん玉

乃南アサ著

新 潮 社 版

8380

しゃぼん玉

プロローグ

信号を無視して交差点を突っ切った途端、鋭いクラクションの音が空気を震わした。反射的に怯《ひる》みそうになって、原チャリのハンドルがぐらついた。

「馬鹿野郎っ、死にてえのかっ！」

どこからか男の怒号が聞こえた。慌《あわ》てて体勢を立て直すと、伊豆見《いずみ》翔人《しょうと》は顎《あご》を突き出すような姿勢で、そのまま交差点の向こうの暗がりを目指した。この辺りの地理がどうなっているのかなど、まるで分からないのだから、とにかく闇雲《やみくも》に走るしかない。耳元で風が鳴り、自分の乗っている原チャリのエンジン音が、翔人自身を追いかけているような気がしてくる。

走り込んだ界隈《かいわい》は、住宅と田畑らしきものが混在しているようなところだった。だが、家の明かりといっても、時折、ぽつん、ぽつんと門灯が見えるくらいのものだ。夜道を照らす街灯さえ立っていない。そんな夜の町を、気が向けば角で曲がり、またスロットルを一杯に開いては直進するということを続けた。途中で小高い丘らしい場所の裾野《すその》をくるりと回った。しばらくは田んぼだか畑だかが続き、また住宅地に入る。ある角を曲がったら突然、原チャリのライトが真正面にコンクリートの壁を照らし出した。咄嗟《とっさ》に左折して、その壁沿いを進んだところで、周囲よりもさらに深い闇が近づいてきた。大きな木が繁っている。公園か、または神社か何かのようだ。ここまで来てようやく、翔人はほんの数時間前に盗んだばかりの原チャリのアクセルを戻しながら、ちらちらとバックミラーを覗《のぞ》き込み、さらに身体《からだ》を捻《ねじ》って後ろを振り返った。大丈夫。誰かが追ってくる気配はない。

木の下に原チャリを止めてエンジンを切り、バイクのスタンドを立てている間も、さらに辺りの様子をうかがう。大分、離れたところに、街灯らしきものが幾つか列を作っているのが見えた。あとは遠くの家々の明かりと、ごく弱い月明かり程度だ。もしも誰かいたとしたって、これでは分かるはずもない。それは同時に、翔人自身の姿もこの闇が隠してくれているということだった。誰の物かも分からないお椀形《わんがた》のヘルメットを脱ぎ捨てて、ハンドルに引っかけていた女物のショルダーバッグを手に取り、その闇の中を歩き始める。

――ここまで来りゃあ、もういいだろう。

最初のうちは極めて冷静に、ゆっくりと歩くつもりだった。それなのに、どうしても急ぎ足になってくる。足が勝手に動くのだ。自分の呼吸する音と衣擦《きぬず》れの音ばかりが、やたらと大きく聞こえる気がする。その音に急《せ》かされるように、翔人は闇の中を進んだ。

——それにしても、やばかったたな。今日のは。

ついに小走りになりながら、軍手をはめたままの左手を何度かグーパーして、さらに顔の前に持ってきた。この闇の中でも、特に人差し指とその周辺が黒っぽく汚れているのが分かる。今度はジャンパーのポケットからバタフライナイフを取り出してみた。刃を引き出すと、こちらにもやはり黒っぽい何かがべったりついていた。

——やっぱり。

手元が狂ったのだろうか。今まで通り、軽く斬《き》りつける程度で良いと思っていたのに。何しろ、こちらの目的は相手のバッグだ。金だ。だから相手が怯み、ついでにいえば、ちょっとした悲鳴でも上げてくれれば、それで十分のつもりだった。背中越しに聞く女の悲鳴は良いものだ。ほんのわずかでも、キャッとか、イヤッとか、そういう声を聞いただけで、頭の中がすうっとする。

それが、今夜に限っては調子が違っていた。原チャリのスピードが完全に落ちていなかったか、それとも距離の取り方を間違えたのだろうか。とにかく予想外に強く、一瞬、何かにぶつかったような、どん、という感触があったかと思ったら、次には、このナイフが相手の服を破り、同時に肉の中に深く食い込んだらしい手応《てごた》えが、翔人の手のひらに伝わってきた。あれっ、やべえ、と思って急いでナイフを引き抜くときには、多少の抵抗感があったくらいだ。女は「うっ」というような声を上げたと思う。その時には、翔人はナイフを握ったままの手を、相手が肩からかけていたバッグのベルト部分にくぐらせて、原チャリを目一杯、加速させていた。振り返る余裕も、ありはしなかった。

——悲鳴は聞こえなかったよな。と、すると、あのまま倒れたか？　死んだかな。

だんだん息切れがしてきた。もともと、自分の足で走るのは好きではない。幼稚園の頃から足は遅かった。運動会でも、いつもビリから数えた方が早かったくらいだ。

さっきから見えていた街灯の列は、川にかかる橋の欄干に設置されたものだということが分かってきた。ずっと左手に伸びていたコンクリートの壁は、その川の土手代わりのものだったのだ。

街灯の光が届くところまで近づき、かといって通り過ぎる車などからは目につかないような場所を探して、翔人は息を弾ませながら立ち止まった。周囲に気を配りつつ、もどかしい気分で手にしていたバッグの中を覗《のぞ》いてみる。定期入れ。化粧ポーチ。携帯電話。手帳。封筒。細々とした紙切れ。キャンディー。ハンカチ。そして財布。迷うことなく財布だけを抜き取って、他の物は川に向かって放り投げた。遠くで、ぴしゃん、というような、実に頼りない音が聞こえた。そうした上でようやく軍手を外し、それもボールのように丸めて川に投げ捨てた。何度か繰り返すうちに、こういう手順も、すっかり身についていた。

ごく平凡な、チェック柄の二つ折り財布だった。札入れの部分に一万三千円と、小銭入れに千円前後というところだろうか。それらを抜き取り、ジャンパーのポケットにねじこんでから、カード類は残したまま、再び川に投げ捨てる。今度は、何の音も聞こえなかった。

——どいつもこいつも、大して持ってねえもんだな。

腕時計は、既に一時過ぎを指していた。見知らぬ町は、もう大半が深い眠りについているらしく、犬の鳴き声ひとつ聞こえてこない。無論、さっきの現場付近では今ごろパトカーや救急車が駆けつけて、大変な騒動になっていることだろう。何しろ悪質なひったくりどころか、こうなったら通り魔だ。いや、それともまだ発見されていないのだろうか。だとすると、冗談ではなく本当に、あの女は死んでしまっているに違いない。と、いうことは、翔人は、通り魔殺人を犯したことになる。あの一瞬の間に。大したものだ。

とにかく、いつまでもこんな場所に一人で立っていたら目立つに違いなかった。翔人はジャンパーのポケットに両手を突っ込んで、出来るだけ呑気《のんき》そうに、ぶらぶらと橋を渡り始めた。すると、半ばまで来たところに隣県の標識が出ていることに気がついた。つまり、そこを過ぎれば隣の県に移れるということだ。

——ラッキー。

こういう部分が、翔人はついていると思う。昔からそうだ。どさくさに紛れて、いつも何とか切り抜ける。

橋の上には冷たい風が吹き抜けていた。首筋が、すうすうと寒い。翔人はわずかに首をすくめるようにしながら、注意深く県境を越えたところで、自分が逃げてきたと思われる方向を振り返った。そんなに遠くまで逃げてきたつもりはなかったが、やはりパトカーなどのサイレンは聞こえてこず、また、それらの明かりが夜空を染めている様子もうかがえなかった。

——やっぱ、駄目だな。早く見つけてやりゃあなあ。

携帯電話は、翔人がさっき捨てたバッグに入っていたから、本人が通報することは不可能だ。まるで人通りのない田舎の夜道では、誰かに見つけてもらうこと自体が難しいのかも知れない。

何歳くらいだったろう。後ろ姿しか見ていないから、はっきりとは分からない。だが、いっていて三十歳、せいぜい、二十代の後半といった程度だと思う。本当についていない女だ。「うっ」と洩《も》らした、あの声が最期《さいご》になったかも知れないなんて。大体、こんな地方都市にいて、真夜中に一人で歩いて帰ろうという、その考えが間違っている。都会とは違って、街灯だってほとんど立っていないような道を、若い女がよくも一人で歩けたものだ。だから、こんな目に遭わなければならない。せめてタクシーを使うなり、自転車に乗るなり、方法を考えれば良かったのに。

黒々と流れる川と、影にしか見えない町並みを眺めながら、翔人は煙草《たばこ》を一本吸った。吐き出した煙が、冷たい風に流されていく。

――一万円ちょっとじゃあ、なあ。

割に合わない話だ。せっかく新しい軍手も買ったし、苦労してバイクを盗んで、ある程度、時間をかけて相手を物色して、その上、もしかすると殺人まで犯したかも知れないというのに、その見返りが、たったこれだけとは。

こんなことなら、先に財布の中身を確かめてからバイクを乗り捨てるべきだった。

あと二人でも三人でも狙《ねら》ったら、そこそこ稼げたかも知れない。いや、そこから足がついたら元も子もないのだから、ああいう物は早めに捨てるに限る。決断は間違ってはいないはずだ。要するに最初から、もう少し金のありそうな相手を狙う方が良いのだ。個人ではなく。

――コンビニか。やっぱり。

走るのが嫌いな翔人にとって、コンビニ強盗は、何といっても逃げるときが厄介だ。既に一度やってみて懲《こ》りている。実入りはそう悪くなかったが、かといって、期待していたほどでもなかった。何しろ緊張するし、「金を出せ」といったようなことをうまく言わなければならないのも面倒くさい。最初から変装していっては強盗だということがバレバレだし、相手に抵抗されたときのことを考える必要もある。第一、最近では防犯カメラなどが設置されている店が増えて、それだけ捕まる確率だって高くなっている。つまり、あまりにもリスクが高いということだ。そんなあれこれを考えると、どうも踏ん切りがつかない。だが、まあ、この金を使い果たしたら、決断すべきかも知れなかった。少なくとも通りすがりの女を後ろから狙うよりは、もう少し正々堂々としている気がするし、田舎のコンビニならば、都会ほどには警戒もしていないかも知れない。

――どうせ、人殺しになったんだ。それ以上なんて、ねえんだし。

翔人は、ゆっくりと最後の煙を吐き出して、フィルター近くまで燃えて短くなった煙草を闇の中に放り投げた。赤い、小さな火種が、風に流されながら川面に落ちていった。

1

がたん、という衝撃があったと思ったら、たて続けに身体《からだ》が揺すぶられるような感じがして、次の瞬間には、あっと思う間もなく全身がどこかに叩《たた》きつけられた。一瞬、息が止まりそうな衝撃を受けて、何が何だか分からないまま、やっと目を開いた翔人の視界に、まるで家の二階から見下ろすような格好の、男の黒い影があった。

「ふざけやがって！　人の親切を何だと思っていやがるんだっ。おめえみてえな野郎は、この辺で野垂れ死にでも何でもするんだなっ！」

身を乗り出していた男の影は、いかにも荒々しい声を張り上げ、次いで、翔人の近くに何かを放り投げたらしい。すぐ傍で、かちん、と硬質な音が響いた。こちらが呆《あっ》気《け》にとられている間に、大きく開いていたドアが閉められ、プスン、というような音がして、翔人の目の前で巨大なタイヤが回転し始めた。わずかに意識がはっきりしてきた頃、大型のトラックは轟音《ごうおん》と共に、既に翔人の前を通過していた。排気ガスの生ぬるくて不愉快な臭《にお》いが全身を包み込む。

「お――おいっ。何なんだよっ、てんめえこの野郎っ、ぶっ殺されてえかっ！　おら、畜生、待てって言ってんだろうがよっ！」

とりあえず声だけ張り上げたものの、身体の方がいうことを聞かなかった。翔人は地面に上半身を起こしただけの格好で、遠ざかるテールランプを見送るしかなかった。すぐ先で道がカーブしているのだろう、赤い光はすぐに視界から消え去り、ぶろろ、ぶろろろ、というエンジン音だけが残った。それも確実に小さく、遠ざかっていく。

――畜生。

道ばたに尻餅《しりもち》をついた格好のままで、翔人は、それでもしばらくの間、自分の身に何が起こったのかがまるで分からないままだった。頭の芯《しん》がまだぼんやりしている。うなだれると、そのまま眠気が襲ってきた。気が遠くなる。時間が、止まったように感じられた。

ふいに、冷たい風が吹き抜けた。身体を支えていた肘《ひじ》の力ががくっと抜けて、ついでに空気の冷たさに、ようやく今度こそ目が覚めた。何だ、どうした、いけねえ、寝ている場合じゃねえんだと、やっと頭が働き始める。だが、初めて辺りの様子をうかがってみても、どうも妙だった。目覚めたと思ったのに、まだ眠っているような気分だ。何しろ、何も見えない。何も聞こえない。まったくの闇が、翔人を呑《の》み込んでいた。

――マジかよ。どこだっつうんだ、ここ。

夢の世界だろうか。自分はどうなってしまったのだ。この五体は満足なのか、地上に、逆さまにもならずにちゃんと座っているのだろうか。それさえも、何だかよく分からない。

その場にうずくまったまま、翔人は自分の身体をそろそろと触ってみた。ジャンパーの感触は普段のままだ。その下のジーパンも。足も二本ついている。指も十本、ちゃんと動く。だが、少しでも腕を動かすと肩が痛んだ。それから肘や左の腰の辺り、背中にも痛みが走る。肩も首も凝っているようだ。頭も少し。額に手を触れると、ヒリヒリとした感覚が走った。どうやら少しばかり怪我《けが》をしているらしい。それらの痛みが、これを現実だと告げていた。

なのに、どうして何も見えないのだろうか。目だけが、どうにかなったのか。耳も？　それとも、世の中にはこんな暗闇と静寂とが存在するものだろうか。翔人は、無意識にジャンパーのポケットに手を入れ、初めてライターの存在を思い出した。手の中でライターを転がし、闇に向かって使い捨てライターを差し出す。小さな音と共に、炎が灯った。その仄《ほの》かな明るさが瞼《まぶた》を射る。良かった。目も、耳も大丈夫だ。

——何だ、これ。

ライターの火でかざしてみると、自分のすぐ傍に、木の葉や枝などが迫っていることだけは分かった。座り込んでいるのは、舗装された道路の端っこあたりらしい。さらに周囲を照らしてみると、翔人の物に違いないナイフが落ちている。そういえばさっき、かちんという音がした。そう、上から放り投げられたのだ。

ナイフを拾い上げている間に、ライターを持つ指先が熱くなってきた。ついでだから急いで煙草に火をつけ、翔人はそのまま地べたに座り込んで、しばらく煙草を吸うことにした。吐き出した煙さえほとんど見えない闇の中で、最初は断片的だった記憶が、徐々につながり始めた。

——そうだ。

ヒッチハイクをした。気の好さそうなトラックの運ちゃんだと思ったから、自分から声をかけたのだ。すいません、このトラック、どこまで行くんですか。ああ、ちょうどよかった。乗せてもらえませんかね。ええ？　ああ、そうです。そこまでで。市内まで行ければ、もういいですから。

運転手は、少しの間、試すような目でこちらを見ていたが、「まあ、ええわい」とか何とか言って、翔人を助手席に乗せてくれた。延岡《のべおか》でのことだ。宇部から乗せてもらったトラックの運転手に叩き起こされ、「ここまでだ」と言われて降ろされたのが、延岡だった。いや、実のところ延岡という土地がどこにあるのか、翔人には皆目分からない。ただ、寝ぼけ眼で「ここ、どこですか」と尋ねたら、延岡だと言われただけのことだ。

確かあの時点で、既に午後十一時を回っていたと思う。ドライブインに取り残されて、仕方がないから、そこで一番安いうどんをすすりながら、さて、好《い》い加減に金を都合しなければならない、試しにこの店を襲うことは可能だろうか、などと考え始めたときに、人気のなかった駐車場に滑り込んできたトラックがあった。そして翔人は、降りてきた運転手がラーメンを食い終わるのを待って話しかけ、そのトラックに便乗することに成功したというわけだ。

最初のうちは、なかなか友好的な雰囲気だったと思う。運転手は、翔人に質問を寄越した。どこから来たんだ。いくつ。学生か。どこに行く気だ。

あ、東京から。二十、三、です。一応、今んとこ。特には、決めてないんスけどね。

すると、ずっとこんな無銭旅行を続けているのか、と運転手は言った。

「むせん？」

「無銭だよ、無銭。貧乏旅行ってことだ」

「ああ――はあ、まあ」

今は貧乏ですが時々、少しだけ金持ちになることもありますとは、答えなかった。あんたが来なかったら、今ごろはさっきのドライブインも被害に遭ってたかも知れませんよ、とも。

「旅の目的っつうか、そんなもんは、あるのかね」

べつに、と翔人は答えた。

「目的のない無銭旅行か、へえ、いい身分だわなあ。まあ、若《わ》けえうちだ、そういうことが出来るのは。学生の間は時間だって、そりゃあもう、有り余ってるんだろうからよ」

運転手は話し好きな様子だった。翔人は少しずつ煩《わずら》わしさを覚えながら、見晴らしの良いトラックの助手席から、窓の外を流れる景色を眺めていた。

「楽しいかい」

「――まあ」

「羨《うらや》ましいねえ。これが、俺らみてえに仕事で旅ばっかりしてなきゃならねえとなると、もう、うんざりだぞ。これやんなきゃあ食ってけねえから、しょうがねえからやってるけど、毎日ちゃんと自分ん家《ち》の、畳の上で眠りてえもんだとつくづく思うわ。女房や子どもと晩飯食ってなあ、テレビ見て、のんびりと風呂に入ってよ」

「そんな、もんですかね」

「あったりめえだ。そんなもんだ。何しろ、孤独だからなあ。夜通し一人っきりで走り続けるってえのは」

そんな話をしている最中に、無線が入った。耳障《みみざわ》りな雑音と共に、闇の向こうから誰かが語りかけてくる。翔人の耳には、その言葉はほとんど聞き取れなかったが、隣からはチッという舌打ちが聞こえてきた。

「何だよ、まいったな」

運転手は「聞いただろう、今の」というようにこちらを見た。

「この先で土砂崩れだと。いや、まいった。どうすっかな」

「——通れないんですか」

運転手はもう一度、チッという音を立ててから無線機のマイクを取り上げ、誰に向かってか分からない言葉を発し始めた。運転手が話す。すると、ほとんど間を置かずに、無線機から誰かの声が聞こえてくる。また運転手が話す。べつに孤独なことなど、何もないではないかと翔人は思った。ここしばらくの翔人の毎日の方が、よほど独りぼっちだった。何しろ、こうやって誰かと会話すること自体が、何日ぶりか分からないくらいだ。この前に乗せてもらったトラックの運転手とも、ろくな話はしていない。昼といい夜といい、翔人はずっと一人だった。そのうちに自分の声がどんな感じだったのかさえ、忘れそうになるくらいだった。

「悪いけどな、あんた、降りてもらうわ」

やがて、マイクを戻した運転手の突然の言葉に、翔人は思わず姿勢を変えた。

「この先に日向《ひゅうが》って町があるから。もう、すぐに着く。あんた、そこで降りな。宮崎まで乗せてってやろうと思ったけど、土砂崩れじゃあ、しょうがねえ。俺は日向から山越えしていくから。朝までに、人吉《ひとよし》に着かなきゃなんねえんだ」

本当は、「宮崎?」と聞き返しそうになっていた。乗せて欲しいと頼んだときにも、確か運転手はその地名を口にした。だが、翔人の知識では、宮崎というのはもしかすると四国かどこかだ。すると、ここは四国なのだろうか。いつの間に海を渡って来たのだろう。だが、そんなことは今、考える必要のあることでもなかった。

「まあ、いいじゃないスか。固いこと言わないで。このまま乗せてってくださいよ。俺はべつに宮崎まで行くんじゃなくたっていいんだから」

すると運転手は、さっきまでの親しげな口調から一変して、「だめだめだめ」と突き放した言い方をした。

「宮崎までって言うから乗せてやったんだ。それが、向こうまで行かれなくなったんだから、しょうがねえだろうが」

「だから俺も――」

「あんた、宮崎まで行きたいって言ったじゃねえか」

「一緒に、行きたいんですってば」

「気味の悪いこと、言うなよ」

「あ――変な意味じゃ、ないスけど」

「あのな、一応な、うちの会社の規則じゃあ、ヒッチハイクやら何やらいう連中は、頼まれても乗せちゃだめだってことになってんだ。後でゴタゴタが起きっと面倒だから。それを、あんたが困ってる風だったから、つい乗っけてやったわけだ。話し相手にもなるしな。だけど、日向から先は道も悪いし、あんたを途中で降ろそうったって、そんな場所もないようなところを通らなきゃならねえんだ。その上、宮崎からは遠くなるばっかりときてる。だから、おとなしく降りな」

運転手は、妙に親切ごかしな声で、わけの分からないことをぐだぐだと言った。そんな話を素直に聞くつもりはなかったし、ともかく翔人は面白くなかった。何よりも、こんな夜更《よふ》けに降ろされてたまるかと思った。また新しいトラックを探すのなんか、真っ平だ。だから、ポケットからナイフを出してちらつかせることにした。

「黙って走れよ、おら」

相手の視界に入るように、ナイフの刃をひらりと出し、押し殺した低い声で言っただけで、運転手が息を呑んだ気配が伝わってきた。

「ナメてんじゃねえぞ、おら。どこまででも構わねえって言ってんだろうがよ、このボケ。こっちが、せっかくおとなしくしてるんだから、黙って走ってりゃあ、いいんだよ、この野郎」

ナイフを持った右手を、相手の脇腹に向ける。しばらくの間は、トラックのエンジン音だけになった。その、ある種の静寂を破ったのは、再び聞こえてきた無線機からの、誰かの声だ。

「無線、切れよ」

ナイフの峯《みね》の方で軽く脇腹を押しただけで、運転手の身体はびくん、と弾むように動いた。無骨な大きな手が素早く伸びて無線のスイッチを切る。

「聞き分けがいいな」

「――そんなもの、しまえよ。気になって、しょうがねえ。運転の邪魔だよ」

「気にすんなって。おっさんが妙なことしなけりゃあ、これだって、ここにおとなしく持ってるだけだからよ」

「──一体、何の真似《まね》だ」

「べつに」

「お前、本当に学生か」

「っせえんだよっ、んの野郎！」

スニーカーの足でダッシュボードを蹴《け》り上げた。一度、何かを蹴ったり殴ったり、または大きな声を出すと、翔人はしばらくの間、そのまま動きが止まらなくなる。いつの頃からか、そういう癖がついた。

「てめえに何の関係があんだっ。おら、黙って走れって言ってんだろうがよ、このクソ野郎っ！」

怒鳴り声を上げ、続けざまにぼこぼことダッシュボードを蹴りながら、翔人は運転手の強張《こわば》った横顔を睨《にら》みつけていた。

「俺が学生だろうが何だろうが、どっちだっていいんだよっ！　小学生のガキじゃねえんだっ、学校を休んでたからって、誰が何の文句言うってんだよっ！　それとも俺に説教する気かよ、てめ、ぶっ殺すぞっ！」

陽に焼けて四角い顔をした運転手は、「分かったよ、分かったよ」と小声で呟《つぶや》いたきり、もう口を開かなかった。翔人は、その運転手の横顔を睨みつけながら、自分が息を弾ませていることに気づいた。全身が、ことに耳から上の頭の辺りがかっかと熱い。もう少し叫んだら、頭の中が真っ白になりそうな気がした。だが、何度か深呼吸をして、窓の外を流れる景色を眺めるうち、少しずつ落ち着いてきた。

「そうそう、そうだ。おとなしく走ってさえいりゃあ、いいんだよ、おっさん。そうすりゃあ、俺だって危ねえことはしねえんだからさ」

ふと、ハイジャックという言葉が思い浮かんだ。バスジャックというのも聞いたことがある。するとこれは、トラックジャックということになるのだろうか。何だか変な響きだ。つい、独りでに顔がにやついてしまった。くすっと笑いかけると、運転手の気配が動く。それだけで翔人は、またナイフの峯を相手の脇腹に当てた。

「いいこと、教えてやろうか、おっさん」

「な——なんだ」

「まあ、いいや。教えねえ」

実を言うと俺は人殺しなんだ、この同じナイフで、つい先週、女を刺し殺したんだと話してやったら、運転手はどんな顔をするだろうか。そんなことを考えたら、余計におかしかった。くっくっと、喉《のど》の奥から空気が洩《も》れた。

新聞もテレビも見ていないから、どんな風に報道されているのかは知らない。だが、間違いないはずだ。あの手応《てごた》え。あれだけの出血。周囲の状況。すべてが、あの女は死んだと告げていると思う。だからこそ翔人は、あの日以来、極力明るい場所を避けて、さらに二日以上は同じ土地にとどまらないようにしてきた。姿や顔を誰にも覚えられないようにと、そればかり気にしてきた。お陰で思い切った行動にも出られず、結局はコンビニ強盗も出来ないままだ。

あの後にたどり着いた町では、今度は自転車を盗んでひったくりを二度やった。ナイフは使わなかった。テレビのニュースなどを見ていると、必ず「手口」について言うことを覚えていたからだ。同じ手を使えば、同じ犯人だとばれてしまう。だから当分は、ナイフは使わないことにしようと思った。それでも合計で四万くらいの収入にはなったのだが、二度目の時には背後から「泥棒っ！」という叫び声が上がったし、何しろ自分の足でペダルをこがなければならないのがしんどかった。

今にして思えば、あの時の金を、もう少し大事に使えば良かったのかも知れない。けれど久しぶりに懐《ふところ》が暖まったものだから、安心して焼き肉を食ったり、一人でカラオケをやったりして、瞬《また》く間に使い果たしてしまった。

その次の町では、やはり自転車を使ってひったくりをしたが、バッグを盗む瞬間に、弾みで相手を転ばせた。そんなつもりはなかったのに、反射的に振り返ってみたら、びっくりしたような顔をした年寄りだった。七千円くらいの収入になった。

だから翌日、別の町で、やはりよちよちと歩く年寄りを見つけたときには、細心の注意を払った。手にしていたナイロン袋を丁寧に、柔らかく奪い取って、相手が転ばないことを確認してから逃げたくらいだ。だが、後で中を見てみたら、蒸しパンと一口サイズの羊羹《ようかん》、目薬の袋にポケットティッシュ、それに小さな鈴のついたがま口には小銭ばかりで千円も入っていなかった。あの時は、自分の運の悪さに泣きたくなったくらいだ。とにかく、くじ運が悪い。たまに親切心を出すと、ろくなことがない。昔から、そうだった。

そうやって考えると、一体これまでに何件のひったくりを犯してきたことになるのだろうか。まさか、こんな格好で日本一周のような旅に出ることになろうとは、この夏、いや、少なくとも一カ月前には、考えてもいなかった。

道路標識がある度に「日向市内」という文字が見えるようになってきた頃には、道の両脇に建物も増え、信号の数も増えてきた。そして、トラックは日向の町に入ったようだった。街灯の明かりが眩《まぶ》しい。大都会に比べれば地味には違いないのだが、それでもガソリンスタンドやコンビニの明かりが優しげに見えた。街というものは何と明るく、眩しく、開放的に感じられるものだろうか。照明が多いというそれだけで、自然に気持ちが明るくなり、何か楽しいことが待っていてくれるような気分になる。

「ここが日向か」

本当は、ここで降ろされても良かったのにと思った。だが、出したナイフを引っ込めるわけにもいかないから黙っていた。やがて、いくつかの信号を通過したところで、右手に交番が見えてきた。こんなところに嫌なものがあるなと思った時だった。運転手がウィンカーを点滅させた。

「てめえっ、交番に駆け込む気かっ！　そんなことしやがったら、その前に刺すからなっ」

ついい、ナイフを握る手に力を込めると、運転手は怯《おび》えたような顔でこちらを向き、

「ち、ちがうって」と細かく首を振った。

「ここで、曲がんなきゃあ、なんねえんだって。言ったろう、この先に土砂崩れが起きてる場所があるって。さっきから何度も看板が出てたじゃねえか」

「知るかっ、そんなもん、見てねえっ」

「とにかく、曲がるだけだ。曲がらしてくれ。曲がるぞ」

「本当に曲がるだけなんだなっ」

「本当だって。他には何にもしねえから」

「妙な真似しやがったら、まじでぶっ殺すからなっ！」

「分かってるよ」

運転手の表情と声とは、その外見からは想像もつかないくらいに、いかにも情けないものだった。翔人はここでも、つい小さく噴き出しながら、ナイフをひらひらとさせて相手の二の腕の辺りを叩《たた》いた。

「まあ、落ち着いて、落ち着いて。なあ？　ちゃんと走りさえすりゃあ、痛いことなんかしねえって。運転手に死なれちゃあ、俺が困んだからさ」

笑いながら、またダッシュボードを蹴った。両足でぼこぼこと調子をとりながら笑っている間に、対向車の流れは途切れ、運転手は大きなハンドルをくるくると右に回し始めた。ピピピ、ピピピ、という電子音が聞こえ、馬鹿でかい箱のような運転席が、ゆうゆうと方向を変える。このトラックでなら、いかにも簡単に踏みつぶせるのではないかと思うくらいにちっぽけに見えた交番は、瞬く間に視界から消えていった。

「いい子だ、いい子だ。物わかりがいいねえ、おっさん」

次から次へと、いっぱしの悪人のような台詞《せりふ》が、ごく自然に口をついて出る。それがおかしくて、翔人はまた一人で笑っていた。

橋を渡り、住宅地を抜けて、やがて家並みが途切れると、瞬く間に闇《やみ》が広がってい く。なるほど、運転手の言葉通り、夜目にも山影が迫ってきているのが分かった。第一、これまでの国道と違って道幅そのものが狭まってきている。

それにしてもトラックの運転席というのは気持ちの良いものだった。世の中のすべてを見下ろしているような爽快《そうかい》感がある。自分が大きく、強くなった気がする。たとえばチョロチョロと走る軽自動車など、簡単に踏んづけられる気がするし、実際、人一人跳ね飛ばすくらい、どうということもないに違いない。毎日、こういう高さから世の中を眺めていたら、さぞかし自分が偉くなったような気分になれるだろう。

山道にさしかかると、トラックはスピードを落として、次々に現れるカーブを一つ一つ、注意深く消化して進むようになった。走れば走るほど、闇が深くなる。カーブばかり見ていると、距離感も時間の感覚も、何もかもが痺《しび》れていくようだった。そうこうするうちに突然、闇の中にぽつんと現れた小さな町を通過した。そして再び闇ばかりになる。ほとんど道幅一杯の大きさに感じられるこのトラックで、対向車が来た場合には、どうなるのだろうかと思いながら、翔人はぼんやりとフロントグラスの向こうを眺めていた。助手席側には、鬱蒼《うっそう》と繁る草木の影だけが迫ってくる。それに対して、運転席側は本当の闇だった。白いガードレールが闇に浮かび上がって見えているが、それも時折、途切れてしまう。

「そっち側って、どうなってんだ」

「――谷だ。谷底」

「――おっさん、この道、よく通るのか」

「滅多に通らねえ。見て分かるだろう。こんなでかいの転がすような道じゃねえ」

つまり翔人が脅《おど》すまでもなく、ハンドルさばき一つ間違えば、簡単に生命を落とすような道らしかった。何しろ、これだけ大きなトラックだ。ガードレールなど何の役にも立ちはしないだろう。翔人はナイフを構えたまま、しばらくはライトが照らす方向に目を凝らしていた。カーブはいくつも続き、まるで前を見通すことが出来ない。上り坂がきつくなると、トラックのエンジンそのものが、苦しげに喘《あえ》いでいるような感じがした。

そうして、どれくらい走っただろうか。好い加減にしてくれと言いたくなるくらいに、ただただ闇の中をのろのろと進んだ。すれ違った車はたったの一台。小さな軽トラックだ。互いに端に寄って、実に注意深く、そろそろとすれ違った。さらに、このトラックを追い越していった乗用車が一台。上り坂の途中、少しばかり道幅の広くなっているところで、その白っぽい車は、いかにも身軽そうにすいっとトラックを追い越し、瞬く間に見えなくなった。あとはまた、ひたすらカーブを消化していく。そのうちに、振動とちょうど良い室温とで、だんだん気だるくなってきた。何しろ寝不足が続いていたし、延岡で降ろされたときだって熟睡しているところを叩き起こされたわけだから、眠くならないはずがなかったのだ。

――そうか。俺、寝ちまったんだ。

ようやく記憶がつながった。闇の中で、翔人は大きく目を見開いた。

迂闊《うかつ》だった。人を脅しておきながら、その自分が眠ってしまうなんて、何と間抜けな話だろう。それで結局、助手席から突き落とされたのに違いない。だが、それにしてもこんな夜道に放り出すとは、とんでもない運転手だ。第一、危ないではないか。あの高さから落とされて、大けがをしなかった方が不思議なくらいだ。

馬鹿にしている。眠っている隙《すき》を狙《ねら》うなんて卑怯《ひきよう》だ。人を粗大ゴミのように捨てるとは、何という卑劣なやり方なのだ。考えるうちに、無性に腹が立ってきた。

「畜生っ！　馬鹿野郎っ！」

思い切り声を張り上げる。すると、いくつもの自分の声が「畜生」「畜生」「馬鹿野郎」「馬鹿野郎」と返ってきた。四方八方からざわざわという音がする。翔人は思わず息を殺して周囲の気配を探った。今の声で、眠っていた獣が目を覚ましたのではないか、獲物の存在に気づいてしまったのではないだろうか。

――とにかく、逃げるんだ。

だが、どっちへ。どの方向へ。あまりの暗さに、道が続いている方向さえ分からないではないか。しかも、闇の中からは今にも襲いかかろうと、獣が狙っているかも知れない。クマか。オオカミか。他に、どんなものがいるだろうか。とにかく、下手に身動きでもしたら、谷底へ落ちるか、または食い殺されるおそれがある。初めて、身体《からだ》の奥底からぞくぞくとする震えが上がってきた。

――誰か通ってくれよ。早く。

その場にうずくまったまま、翔人は膝《ひざ》を抱えるしかなかった。

2

ライターの火をかざして腕時計を覗《のぞ》き込むと、四時半を少し回っていた。時間の流れが、やたらと遅い。それに、待っても待っても、ただの一台の車も通らない道だった。一体どうなっているのだ。まさか、さっきのトラック運転手が奇妙な世界に通じていて、そこに翔人を置き去りにしたのではないだろうな、などとも考えた。勝手に考えて、勝手に怖くなる。すると、どうしても何か声を出さずにいられない。

「畜生。冗談じゃねえっつうの」

「ひとのこと、コケにしやがって」

「今度、会ったら、ただじゃおかねえからな。まじ、ぶっ殺してやる」

喋《しゃべ》れば喋るほど、自分が一人であることが感じられた。そして、さらに迫ってくる静寂に押しつぶされそうな気がして、翔人は思わず身震いをした。尻《しり》がひんやりと湿っている。その湿気と寒さとが、全身に広がりつつあった。そうでなくとも空気が冷たい。全身にぴたりと貼《は》りつくような湿った寒さが翔人を包み込んでいた。

風が吹くたびに、周囲から草木のざわめきが起きた。時折、遠くで何かの生き物が鳴く声が聞こえた。動物か、野鳥かも分からない。いや、もしかすると「生き物」ではないのかも知れないなどと、また馬鹿なことを考えそうになる。すると、余計に恐怖がこみ上げた。大体、ここはどこなのだ。この日本に、これほどまで闇に包まれる、人の気配のしない土地があったのだろうか。

――まじ、勘弁してくれよ、もう。

さすがに十月も半ばだった。

辺りに落ちていそうな小枝や落ち葉を寄せ集めて、たき火でもすることを思いつき、とりあえず落ちていた小枝の一つに火をつけてみようと試みたが、湿っていてまるでつかなかった。雨でも降った後なのだろうか、これでは尻が湿って感じられるのも無理もなかった。

——ったく。

こんなとき、携帯電話が通じれば良かったのにと思う。だが、翔人の携帯は、もう三日以上前に、広島をうろついていた頃からバッテリーが切れたままになっていた。充電用のコードを持ち歩いているから、コンセントのある場所でひと息入れられる場合には、難癖をつけられないように人目を気にしつつも、常にこまめに充電していたのだが、この数日は、そんな余裕もなかった。何しろ金がない。コンセントどころか、まともに寝る場所にさえ、ありつけていない有り様だ。

——どうしようもねえな。

だがたとえ今、携帯電話が使えたからといって、実際は特定の話し相手やメル友がいるわけでもなかった。せいぜいゲームで時間をつぶすか、または出会い系サイトでも覗いて、見も知らぬ女の中から適当な相手を探すところから始めるのが関の山だ。それも考えてみれば、だるい話だった。第一、こんな場所にいたのでは、ちょっと会ってみようかと言われたって、どうこう出来るはずもない。

「まあ、こんな場所じゃあ、電波も届いてやしねえかも知んねえや」

そっと呟《つぶや》いて膝を抱える。どういう格好をしていても、寒くてたまらなくなってきた。背中を丸め、せめて少しでも眠れれば良いと思ったが、それも無理なようだ。

仕方がないから立ち上がって、その場で足踏みを始めた。自分の尻を触ってみると、やはりひんやりと湿っている。そういえばさっきから尿意を催していた。

こんな真っ暗闇の中で、自分の放尿の音だけを聞くのは不思議なものだった。手が覚えているから当たり前に動いているようなものの、自分の手元さえ見えていないのだから、果たしてどこへ向かって、どんな角度で放尿しているのかも分からない。今ここで、ぱっと明るくなったりしたら、かなり格好悪いことになっているのではないかという気がした。それを、どこかで誰かが笑って見ているかも知れない。いや、その方が、まだましだ。こんな暗闇の中に放り出されているのは、もう好い加減に、うんざりだった。

立っているだけで、今にも足元が崩れそうな不安がこみ上げてくる。小便をし終えると、翔人はそのまま腕組みをして、小さく足踏みを始めた。身体のあちこちに痛みが走ったが、少しでも身体を温めるためには、自分が動くより他なかったし、かといって足を前に踏み出せば、どこに着地するかも分からないのだから、そうするしかなかった。

足踏みをしながら、数字を数える。とにかく早く時間が過ぎ去るようにと、そればかりを願いながら、百まで数えたところでライターを片手に時計を見てみたが、時計の針は大して動いていなかった。二百。三百。身体の方がだるくなってきた。馬鹿馬鹿しさがこみ上げてくる。何だって、こんな真っ暗闇の中で一人で足踏みなんか、していなければならないのだ。

「それもこれも、あのクソ運転手のせいだ。畜生、畜生、畜生っ！」

自分を助手席から突き落とした運転手を思い出し、闇雲に足を振り上げていたら、何かを蹴《け》った。固いというわけでも、柔らかい感触でもなく、ばきばき、ざわざわというような音がする。鼻先を、ずい分昔に嗅《か》いだことのある匂《にお》いが流れていった。知っている。葉っぱとか草とかの、いかにも緑色っぽい湿った匂いだ。小学校の頃、自然教室とかキャンプとか、そんなものに駆り出されるたびに嗅いだ匂いだった。

——ああ、やだやだ。俺、やだ。本当に。まじで。

ライターの火をかざしてみると、道ばたから胸の高さくらいまで繁《しげ》っている固い草がある。いや、草ではなくて、竹とか笹の類だと思う。白い縁取りのある、大きな葉がついていた。ライターの火が届く限りは、その繋みがずっと続いている感じだ。翔人は、その繋みに寄りかかるようにして身体を預けた。藁《わら》の布団というのなら、どこかで聞いたことがある。それなら、この笹でも大丈夫そうな気がした。とにかく、自力で立っているのも、湿ったアスファルトの上に座っているのも、もうたくさんだった。耳元でざわざわ、ばきばき、といった音がした。居心地は最悪だったが、寄りかかっていられないことも、なかった。

——明るくなってくれ。早く。

目を開けていても、つぶっても、状況はまるで変わらない。それならば、わざわざ目を見開いている必要などなかった。腕組みをして、目をつぶり、翔人は今度は自分の呼吸する音を数えて過ごした。風の音がする。すぐ耳元でも、遥《はる》か彼方でも、かさかさ、ざわざわと、色々な音が聞こえてきた。寒いことは寒かったが、それらの音に包まれていると、さっきまでよりは不安にならずにすんだ。

ふいに、電車の中で立ったまま居眠りをしていたときのことを思い出した。そういうことが何度となくあった。そう、あれは、予備校の帰りでのことだ。扉の端に身を寄せ、またはつり革にぶら下がったままで、つい眠ってしまうのだ。そして、膝の力ががくりと抜けて目が覚める。あの頃も眠かった。死にそうなくらいに——毎日毎日

――馬鹿みたいに――。

ふいに、カア、カアという声が響いて、全身の神経が震えるくらいに驚き、同時に自分が眠っていたことに気づいた。はっと目を開けたが、辺りはまだ闇のままだ。だが、何となくさっきまでと雰囲気が違う。ただ墨を流したような暗闇ではなく、ごくわずかだが、空と陸地の境目が見え始めているようだ。さっきまでは自分の手元さえ見ることが出来なかったのに、じっと眺めていると、薄ぼんやりと自分自身の肩先やジャンパーが見えるような気がしてきた。ああ、朝が来る。やっと。

また、カア、カアが聞こえた。今度は違う方向から。さらにまたしばらくして、カア、カア。本物の朝が来るのだ。寄りかかっていた繁みから身体を起こして、翔人は大きく背伸びをした。こんなに嫌らしい寝不足も、あったものではない。頭の芯《しん》はじんじんと重く痺《しび》れているし、手足も重たい。目の奥が鈍く痛んだ。

――腹ぁ、減ったな。

昨夜は、うどんを一杯食った。その前は、昼頃にハンバーガーを食った。それだけだった。腹が減るのも当然だ。

とにかく、食い物と寝る場所。それだけ早く手に入れたかった。残り数本まで減った煙草《たばこ》を取り出し、ゆっくりと吸いながら、翔人は少しでも空が白んでくるのを待ち侘《わ》びた。時折、カラスが鳴く。おなじみのカアカアも、都会で聞くのとは何となく違った印象になるのが不思議だった。

六時を回った頃、ようやく本物の朝の気配がし始めた。ぼんやりと待つうちに、次第に辺りの輪郭が見えてくる。

——とんでもねえところだな。

山また山。ひたすらこんもりとした山影ばかりが、幾重にも幾重にも重なって見えている。翔人が夜明かしした道は、そんな山あいを縫って走る道らしかった。その上、初めて分かったが、かなりの傾斜がついている坂道ではないか。さらに翔人が寄りかかっていた繁みの反対側は、思った通りの谷になっていた。しかも、ガードレール一つ設置されていない。そろそろと歩み寄って、足元を見下ろしてみて、翔人は思わず膝が笑いそうになるのを感じた。自然に「やべえ」と声が出た。

「まじで、下手に動いたりしたら、とっくにおっ死《ち》んでたっつうの」

雑木が重なり合うように繁っているから、地面そのものを見下ろすことは出来ないが、とにかく急斜面になっていることだけは確かだ。冗談ではない、今さらながらあの運転手に腹が立ってくる。畜生、せめてトラックのナンバーでも覚えておけば良かったと思いながら顔を上げると、ほんのわずかな間にも、さらに空は白んできていた。

アスファルトの道が、次のカーブまでうっすらと浮かび上がって見えてきた。

——上るか。下るか。

左右を眺めながら少しだけ考えた。だるいのはどちらも一緒だ。だが、上る方が余計に疲れそうだった。よし。それならば下りだ。

薄ぼんやりと見える灰色の道を、翔人はとりあえず歩き始めた。改めて手足を動かすと、やはり、身体のあちこちに痛みが走る。前からでも後ろからでも車が来てくれたら、どんなことをしてでも乗せてもらいたい。そのために、何が何でも見落とされず、車がスピードを緩めなければならないように、道のど真ん中を大股《おおまた》で歩いた。

歩いても歩いても、景色はほとんど変わらなかった。とにかく山また山、そればかりだ。灰色に見え始めた空を、数羽のカラスが互いに鳴き交わしながら飛んでいく。この辺りでは生ゴミといったって、そんなに出ないだろうに、どこまで餌《えさ》をあさりに行くのだろう。

十分歩き、二十分歩いても、車も通らなければ、家の一軒も見えてこない。一体、どうなっているのだ。このまま、あとどれくらい歩き続けなければならないのだろうか。だんだん不安になってきた。もしかすると、人里から離れる方向に歩いているのだろうか。この道は下ってはいけなかったのだろうか。それでも、戻るのも馬鹿げていると思うから、機械的に足だけを動かしているうちに、空はどんどん明るくなってくる。ふと見ると、谷底に白い雲がたまっていた。

——何だ、ありゃあ。

雲といったら、頭の上に浮かんでいるはずのものではないか。それなのに、あの雲は谷底に落っこちてしまったかのように、まるで水のように白くたまっている。重たい雲なのだろうか。そんな雲が、あるものか。

ますます分からなくなってきた。大体、ここはどこなのだ。昨日のトラックの運転手は、宮崎がどうのと言っていた。つまり、ここは四国なのだろうか。本当に？

——四国。四国。

四国といったら、高知県だと思っていた。他にもあるのか。いや、あの時の運転手の口ぶりからすると、宮崎というのは県を指している感じではなかった。市か、町だ。高知県宮崎市か。とにかく、翔人は図らずも、生まれて初めて本州から外へ出たことになるらしい。

自分は今、四国の山奥を歩いているのか。頭の中であやふやな日本列島を思い浮かべ、四国の真ん中辺りに自分がいることを想像すると、少しだけ気持ちが落ち着いた。ずっと歩けば、そのうち町に着き、やがては海にだって着くだろう。何しろ、四国は小さいはずだ。もう少し明るくなったら、山の向こうに海が見えないとも限らない。カラス以外の鳥の声がし始めた。見上げると、綺麗《きれい》なV字形をつくって、鳥の群が飛んでいく。へえ、と驚いた。まるで北朝鮮のマスゲーム並みの揃《そろ》い方だ。一体、誰に教わったのだろうか。空は、ごく薄い水色へと変わり始めている。重なり合う山々の中腹の辺りに、ぽつんと一つだけ、小さな雲の欠片《かけら》がくっついていた。どうして、あんな場所に雲の子どものようなものが一つだけあるのだろうかと、また不思議になる。山々は、よく見ればところどころに黄色くなった木が混ざっていた。枯れ始めているのだろうか。もしかすると公害の影響かも知れない。こんな田舎なのに。

そんなことをぼんやりと考えていたときだった、それまでの辺りの音とはまるで異なる、ガチャッというような微《かす》かな音が聞こえてきた。反射的にびくりとなって、翔人は耳を澄ませた。だが、何一つとして変わった様子はない。相も変わらず、車一台もやってくる気配はなかった。

——生き物の声かな。

こんな山奥ならば、どんな生き物がいたって不思議ではないような気がする。いや、ひょっとすると昆虫の類かも知れない。鳥や獣と違って、昆虫が羽をこすり合わせて出す音ならば、チンチンとか、リンリンとか、他に真似の出来ないようなものがあるはずだ。

一つのカーブを曲がったところで、道路に迫っている山肌の途中から、水が染《し》み出しているのを見つけた。水道管でも破裂したのだろうか。

次のカーブを曲がったところには、ぽつんと道路標識が立っていた。おにぎりを逆さにしたような丸みを帯びた三角形の中に、数字が書いてある。それが国道の標識であることくらい知らないはずがなかった。つまり、この道は国道ということかと翔人は呆気《あっけ》にとられた。

「まじ？　こんな道がかよ」

わざとおどけたように声を上げた。

「っざけんなっつうの。センターラインもねえような、こんな狭い山道の、どこが国道なんだって。ええっ？　冗談じゃねえよなあ」

道幅一杯にジグザグの走り方をしながら、翔人は大声で「しょぼすぎるぜっ」と叫び、わざとらしいくらいの声で「はっははぁっ」と笑った。そうやって飛び跳ねながら次のカーブを曲がり、またもや目の前に開けた景色が変わったと思ったときだった。道の山側に、横倒しになっているスクーターを見つけた。翔人は一瞬、足を止め、そこからそろそろとスクーターに近づいていった。遠目にもスーパーカブだと分かる。

こんな場所にも、一応は人間の痕跡《こんせき》があるということだ。それに、これはラッキーかも知れない。

――乗り捨てか？　動いてくれよ、どうせなら。

距離が縮まるにつれ、はっきりと見えてきた。カブにはハンドルカバーがされており、前カゴの脇《わき》には何かの袋と鎌《かま》が飛び出している。荷台には箱がくくりつけてあった。相当に古びた感じではあるが、乗り捨てられたという雰囲気でもないな、と思いながら、さらに歩み寄ったときだった。

「ぼう、ぼう」

低い声が聞こえた。翔人は、今度は飛び上がるほど驚いて辺りを見回した。すると、スクーターの倒れている箇所より少し上った繁みの中から、小さな顔が覗《のぞ》いている。帽子ともサンバイザーともつかない、奇妙なかぶり物をしていた。

「ええとこ来てくれた。やれ助かった。なあ、ぼう」

「お――俺？」

そのまま逃げ出すわけにもいかず、翔人はおずおずと顔の方に近づいていった。遠目には、男か女かも判然としないような顔だった。だが、その奇妙なかぶり物は水色の花柄模様だし、さらに歩み寄ってみると、黒っぽいジャンパーの下の襟元にも、やはり花柄のスカーフを巻いている。ジャンパーの中にも、同様に小花模様の服を着ていた。かぶり物もスカーフも、その服も、花柄という点では同じだが、色もデザインもまるで違うものだ。だから全体に、奇妙にがちゃがちゃとして見えるのだった。それはともかく、要するに相手は女らしい。年齢は、よく分からない。六十か、いや、六十五はいっているだろうか。陽に焼けて皺《しわ》が深かった。

「──血い、出してんじゃねえの。ケガ、してんのかよ、ばあちゃん」

婆《ばあ》さんは額の辺りから血を流していた。それなのに、目の周りに数え切れないくらいの皺を寄せて、婆さんはにまっと笑う。口元から縁取り金歯が覗いた。

「足が、いうことききかん」

「──このカブ、ばあちゃんの」

婆さんは、うん、うん、と頷《うなず》く。

「こけたのか」

「何や、がくーんとね。踏んづけたかね」

そう言われて、翔人も辺りを見回してみた。確かに、ごろりとした子どもの頭くらいの石ころが、近くに幾つか落ちている。ちゃんと前を見ていなかったか、まだ薄暗かったために、この石に乗り上げたか、またはつまずくかしたのだろう。その間にも、婆さんは「あぃぃたいぃ」と繰り返している。翔人は取りあえず、横倒しになったままのカブを起こしてスタンドを立て、それから自分がまたがってみた。キーは入ったままだ。ペダルをキックする。何しろ頑丈に出来ているスーパーカブは、いとも簡単にエンジンの音をさせ始めた。白い排気ガスが勢い良く噴き出す。アクセルを吹かし、チェンジペダルを何回か踏みこんでニュートラルランプが点灯するのを確かめると、翔人はにんまりとほくそ笑んだ。あばよ。こんなところで転ぶのが馬鹿なのだ。

「やいやあ、てえしたもんじゃなあ、その、ぼんこう、いうこと聞かすちゃあ」

ところが、人がせっかく逃げようとしているのに、婆さんはパチパチと拍手をして、何とも嬉《うれ》しそうな声を上げた。

「やっぱ、こんげなこたあ若いもんでなきゃあ、いかんわなあ。いやあ、助かったわぁ。わしんとこいうたら、トラックも動かんようになったままじゃし、こっでスクーターまでいかんごとなったら、もう、どうもならんと思うとった。ぼう、てえしたもんじゃねえ」

いくら無視しようとしても婆さんが喋《しゃべ》り続けているから、仕方なく振り返ると、元気そうな口調に反して、婆さんの顔はさっきよりも白くなったように見えた。その顔で、婆さんは両手を幽霊のように前に出す。

「どら、そしたら。はよ」

「――はよって、何だよ」

「乗して」

「――乗せてって。俺が?」

「他に、誰がおるかあ? ほれ、はよ」

冗談ではなかった。そんな面倒を誰が引き受けるものか。だが婆さんの額から出ている血は今も止まっていない様子で、次第に首に巻いた花柄スカーフまでもがどす黒く染まり始めている。翔人は思わず、あの晩のことを思い出してしまった。「うっ」と言った、あの女。夜道を一人で歩いていた不運な女。彼女も、誰かが早く助けてくれていれば、何とかなったのかも知れない。

「ほれ、はよして」

確かに、婆さんは傍目《はため》に見ても、明らかに早く手当をしなければならないことが分かる状態だ。放っておいたら死ぬかも知れない。またか? これも翔人のせいになるのだろうか。まさか。だが、見殺しにするのなら同じかも知れない。

「俺――だけど、どうやって」

「どうやっても、ええ」

言いながらも、婆さんの顔はますます色を失い、やがて、前に出していた手が、だらんと下がって身体《からだ》までが傾きかけた。翔人は思わず「ばあちゃんっ」と、婆さんに歩み寄った。

「やいやあ――どうもならん。目ん前にくれえ星が飛んじょる」

「や――やべえかな」

「はよ、して」

「そんな――ええと、しっかりしろよ、ばあちゃん。なあ」

「じゃったら、な――はよ、運んで」

仕方がなかった。小猿みたいに見える婆さんでも、人間だ。こうして目の前で助けを求めているものを、見殺しにすることは出来なかった。翔人はおずおずと婆さんの手首を摑《つか》み、ぐいっと引っ張ろうとした。すると、「あいぃたいぃぃ！」と、かすれた声で悲鳴が上がった。

「足がぁ、足がぁ、痛うしてたまらん」

見ると、もんぺの膝《ひざ》から下が破けていて、やはりべったりと血が滲《にじ》んでいる。そのどす黒い色を見てしまったら、翔人の方が、気が遠くなりそうになった。血だ。血だ。あの晩にも見た。この手と、愛用のナイフにべったりとついていた――。

「もうちっと、よろしゅう頼むわ。相手は年寄りの怪我《けが》人じゃかい」

翔人は一つ、ため息をついてから婆さんの前に後ろ向きに屈《かが》み込み、今度は、だらんとした手を自分の肩にかけて、ゆっくりと引いた。

「とにかく、カブまで運ぶからさ。あの箱の上に座っても、大丈夫か」

うん、うん、という声がして、やがて、翔人の背中に、柔らかい重みが加わった。思わず足元がふらつく。

「こん、ばっきい一人ぐらいで、しっかりせんね」

「分かってるよ」

実際、想像していたような重さではなかった。それでも、相手が血まみれの怪我人だと思うと、緊張のためか一気に汗が噴き出した。翔人は、よたよたと婆さんをカブまで運び、荷台に座らせた。

「どこまで、運ぶんだよ」

「わしんとこまで。そしたら電話で、先生に来てもらうかい」

「わしんとこって、何」

「こん、ばっきいん家じゃ」

「どっち」

「この道、下ってな」

「どれくらい」

「ちっと」

　前カゴから落ちたらしい鎌などを拾い上げてカゴに戻し、自分もサドルに跨《また》がって、改めてエンジンをかけると、婆さんの手が肩に乗っかってきた。

「摑まるんなら、こっちに手ぇ回してくれよ」

　腹に手を回させると、婆さんはおとなしく翔人の脇腹あたりに手を回し、さらに、さっき負《お》ぶったときと同じように、翔人の背中にもたれかかってくる。

「重てえよ、ばあちゃん」

　だが、今度は婆さんは何も答えなかった。振り返ると、一層白い顔になって、目をつぶっている。本当に出血多量なのかも知れなかった。翔人は慌《あわ》ててギアを踏み込み、夜明けの坂道を下り始めた。

　久しぶりに耳元で風が鳴った。その上、ノーヘルだ。髪を撫《な》で、頰に当たる風は、心地良いというには冷たすぎる。乗り慣れないカブで、しかも後ろに人を乗せているために、どうも調子が分からない。ギアをサードあたりに持っていき、アクセルをほとんど回さずに、翔人は、自転車で坂道を下るような気分で、カーブの一つ一つをこなしていった。

「ちっと、速すぎんか」

「大丈夫だって。ちゃんと摑まってろよ」

「ほうかね」

「どれくらいで着くんだよ」

「――」

「なあ、ばあちゃん！」

「もう、じきじゃ」

幾つかのカーブを過ぎても、周囲の景色は大して変わらない。一方で婆さんの声は、だんだん弱々しくなっていくようだった。冗談ではなかった。自分の背中に死人が貼《は》りつくなんて、想像しただけで恐ろしくなる。

「しっかりしろよ、ばあちゃん！」

「もうな――もう、じき」

ふと見下ろすと、婆さんの手が、翔人のジャンパーをしっかりと握っている。陽焼けして筋張った手だ。考えてみれば、バイクの二人乗りなんて、初めてのことかも知れなかった。しかも女と。一応。

「もう大分、下りてんぞ、ばあちゃん。しっかりしてるか？」

「じき、右側に家が見えてくっかい」

「そのうち？」

「もう、じき」

カブが動いてくれたから助かったようなものの、とても歩けるような距離ではなかった。それにしても、こんな朝早くから、これだけの道のりを、この婆さんは一体、何をしに出かけていたのだろうかと考えながら、翔人はカブを走らせた。

3

午前中一杯が、瞬《また》く間に過ぎてしまった。柱時計の音が、間の抜けたようにぼおんと一つだけ鳴るから、手元の時計を見たら、もう昼の一時を指していた。

――何だよ、もうこんな時間か。

縁側に出てガラス戸に片手をかけて、翔人は大きく張り出した庇《ひさし》の下に身を乗り出した。なるほど、太陽が頭のてっぺんから、少しずり落ちた位置に来ている。その陽射しは目映《まばゆ》く、意外なほどに強かった。まるで遠い日の幻のような気がする。だが考えてみれば、自分の手元も見えない真っ暗闇の中で、ひたすら朝を待ち侘《わ》び、寒さに震え、風の音にさえ怯《おび》えていたのは、まだたった半日前のことだ。

広々とした庭の片隅で昼寝をしていた雑種の犬が、急に立ち上がって尾を振り始めた。大きく育った庭木の向こうから、ぞろぞろと現れる人々がいる。それぞれに大きな鍋《なべ》や皿、ザルのようなものを持って、三人の女がセカセカした足取りでやってきた。

「お待ちどおさん。ぼう、お腹空いたじゃろう」

ピンク色のエプロンをして、頬骨の張った菱形《ひしがた》の顔をした女が、にんまりと笑った。

翔人は返事をする代わりに、ただ曖昧《あいまい》に笑ってみせた。

「今すぐ、温《ぬく》めてあげるかい。で、おスマじょうは？　どんげ？」

「え——寝てるんじゃないスかね」

女が「ほうお？」と言う頃には、彼女たちは翔人の前を通過して玄関口に回っていた。この家は、玄関から入れば土間になっており、しかも、上がってすぐの部屋には囲炉裏《いろり》がある。何だか昔のドラマに出てきそうな雰囲気の漂う家だった。

先頭に立って歩いてきた小花模様のエプロン姿の女が、ちらりと翔人を見た後で、すぐ脇を素通りし、婆さんの寝ている部屋の方を覗《のぞ》きに行く。三人のうちではいちばん若そうな、とはいっても五十前後に見える黄色いエプロンの女とピンクエプロンが、翔人の手前で立ち止まった。

「よう寝ていなさるわ」

小花模様が戻ってきて小声で言った。ピンクエプロンが満足げに頷く。そして三人は揃《そろ》って台所の方に戻った。土間のある部屋の向こうだ。翔人は再び一人縁側に取り残され、何となく妙な気分で、やはり晴れ渡った空を見上げていた。一体、自分はこんな四国の山の中の、しかも見知らぬ他人の家で、何をしているのだろうか。

背後でごとごとと音がしていたが、やがて五分ほどすると、再び「ぼう」と呼ばれた。振り返ると、茶の間らしい部屋のこたつの上に、湯気を立てた料理の数々が並んでいる。さっきまでは腹の虫も必死で鳴いていたのだが、そんな力も尽きたのか、今はおとなしくなっている。それが、何とも食欲をそそる匂《にお》いを感じただけで、早くも口の中に一杯の唾《つば》が湧《わ》き出てきた。翔人は飛びつくように食卓に向かい、ものも言わずに箸《はし》をとった。真っ先に目についたのが、大ぶりな木の椀《わん》の中で湯気を立てている蕎麦《そば》だった。

「たった今、打った蕎麦ぞ」

ピンクエプロンが言った。ごく薄い出し汁の中で、山ほどのネギを散らされている蕎麦を一口すすり、翔人はつい「うめえ」とうなってしまった。温かい出し汁が、胃袋に染《し》み込んでいく。そこから先は箸が止まらなくなった。

蕎麦など、ほとんど食べたことはなかった。麺《めん》類といったらラーメンか、せいぜいうどんに決まっている。だが、こんなにうまいものだとは思わなかった。初めての香りだ。ラーメンとも、うどんとも異なる歯ごたえだ。ずっと空っぽだった胃袋が急激に刺激されて、思い切り胃液を出し始めたのが自分でも分かった。

「こっちの、これもね。温いうちに」

小花模様が、アルミ箔《はく》の平たい包みの載った皿を押し出してきた。同時に黄色エプロンが大きめの飯茶碗《ちゃわん》に山盛りの飯を盛る。食卓には他にも煮物や和《あ》え物、漬け物などが並んでいた。蕎麦をすすりながら、翔人は思わずため息をついた。

「どしたと」

「あ——いや。すげえ贅沢《ぜいたく》だと思って」

一つ。二つ。三つ。つい数えたくなるほどの器が並んでいる。それらを眺めるうち、もうずい分長い間、器一つで済んでしまう、または食器さえも使わないような食事の仕方しか、してこなかったのだと思い至った。ハンバーガーは紙包みだけだし、あとはほとんどが、使い捨ての容器や丼《どんぶり》一つで済むものばかり。つまり、自分が丼を持って食事をしている間は、食卓の上は空っぽになっているのが、翔人にとって当然の食事風景だった。いや、それだけでなく、木の椀の手触りも、割り箸以外の箸の感触も、何もかもが久しぶりだ。

「――すげえや」

繰り返し呟《つぶや》くと、三人の女たちは顔を見合わせて笑っている。

「あり合わせじゃかい。どれも、うちらどもの家にあるもんばっかりでね」

ピンクエプロンが、またにんまりと笑う。目尻《めじり》にくっきりとした皺《しわ》が何本も寄り、のぞいた前歯の片方はまたも縁取り金歯だ。そういう歯は、ここに来て初めて見た。

「それにしても、おスマじょうは運が強いわ」

小花模様が言った。小太りで小柄な女は顔も丸顔で、短い髪にパーマをかけている。五十代の半ばか、後半といったところだろうか。

「まあ、強いといえば強いけんど、災難は災難じゃわ。まさかおスマじょうがひっこけるとはねえ。それも、スクーターで」

黄色エプロンが頷《うなず》いた。のっぽで、顔も細長い女は、三人の中で一人だけ唇の色が赤かった。多分、彼女だけは化粧をしているのだろう。他の二人より若い分、多少は女っ気が残っているのかも知れない。

「私らなんかよりも、ずっと自信持っちょったはずじゃろうに」

「バイクが妙なことになっちょったことは、なかったんだろうかね。急に壊れたとか」

「何十年も乗ってきたバイクじゃから」

「じゃけど、ぼうは、それにおスマじょう乗っけて帰ってきたって。ねえ」

「――カブは、全然、オッケーですよ。どこも悪くないし。キック一発でエンジンかかったし。でっかい石っころか何か、踏んづけたらしいんスよね」

アルミ箔の包みを開きながら、翔人は答えた。ほわりと微《かす》かな湯気が立ち上り、茶色い肉が姿を現す。女たちは揃って感心したように、または不思議そうに「ふうん」と頷いていた。

「で――なんスか、これ」

飯茶碗を片手に持ったまま、箸でアルミ箔の中身を突いてみる。薄切りの肉だった。ぶ厚い脂身の層がしっかりとついている肉の周りに、何かのタレのようなものがついている。

「みそ漬け。シシの」

「シシ？　あの――」

「イノシシ」

「あ、ああ、イノシシ？　これ、イノシシっスか」

翔人が咄嗟《とっさ》に思い浮かべたのは、神社の入口などにいるヤツとライオンだった。いずれにしても、そんなもの食えるはずがないと思った瞬間に、豚の親戚《しんせき》のような動物の名を出されて、思わずホッとした。だが、改めて薄切り肉を眺めても、何となく、あまり旨《うま》そうに見えない。これは、やめておいた方が良いかなと思ったのだが、頭でそう結論を下す前に、もう箸の方が出てしまっていた。とにかく猛烈に腹が減っているのだ。

一口、かじってみる。温かい感触が唇に触れて、まず味噌の甘く香ばしい味と共に、しっかりと締まった肉の歯ごたえを感じ、次いで、これまでに味わったことのない旨みが口中に広がった。三人の女は、じっとこちらを見ている。

「――んめえ――へえ、イノシシって、食えるんだ」

正直な感想を述べただけなのに、真顔でこちらを見ていた三人は一斉に声を出して笑った。

「シシが食べれるって知らんかったと」

「これ、なんスか」

「こんにゃく」

「――んめえ。これ、シイタケ？」

「焙《あぶ》っただけじゃけどね。お醤油つけて」

「――へえ、んめえ」

「むぞうなもんじゃねえ、何でん、んめえ、んめえってねえ」

「ヤギみたいじゃねえ」

小花模様のひと言に、今度は三人は、翔人が一瞬、箸を止めてしまうくらいにけたたましい声を上げて笑い出した。突然、倍の人数くらいに膨れあがったような声だ。順番に眺める三つの顔は、どれも、この上もなく楽しそうに見えた。何が、そんなにおかしいのだろうか、むぞうとは、何のことだと小首を傾《かし》げながら、翔人は箸を動かし続けた。とにかく、次から次へと、これだけ色々な味と歯ごたえとを味わうことが、もう珍しくて、嬉しくてたまらない。第一、この白い米の飯だ。何とも甘味があって、ふっくらとしていて、もちもちに旨い。見ただけでも、まるで光っているようにつややかな飯ではないか。

「お代わりは？」

「あ、もらいます」

「ヒエが入っとると、分かる？」

「ヒエ？　なんスか、ヒエって」

三人の女は再び顔を見合わせて、やはりゲラゲラと笑った。笑いながら、「こりゃあ、おスマじょうも」とピンクエプロンが口を開いた。

「えらい驚いとるわ。都会で育つと、こんげ何も知らんのかって」

「ばあちゃんが？　さあ、どうスかね」

そんなことは、どうでも良かった。とにかく今の翔人にとって、この食卓に並んだすべての料理を平らげることこそが最大のテーマだ。こんな旨い飯には、滅多にありつけるものではない。いや、これから先だって、下手をするともう二度と味わえないかも知れない。

「で、ぼうは、歳《とし》なんぼになったと」

「——俺？　歳？　二十、三ですけど」

三人の女たちは、「へえ」「まあ」というような声を上げて、また翔人を見ている。

「そりゃ、うったちが年とっとるわけじゃわ」

「——うったちがって」

「お嫁さんは？」

「嫁さん？　そんなもん、いるわけないじゃないスか」

「あれ、そうね。仕事は？」

「――学生スから。まだ」

「ああ、学生。大学ね。まあまあ、そうね」

だんだん触れられたくない話題になってきた。一瞬、何だかやばいことになりそうな気がして、落ち着かない気分になりかけたものの、今すぐに箸を置くつもりにもなれない。まだまだ、食い足りなかった。

「これ――は？」

「それくらい、見て分かるじゃろう」

「――栗、かな」

「あら、分かったね。そうそう、栗のね、渋皮煮」

渋皮って何のことだろうかと思ったが、女たちはそれぞれに茶をすすりながら、もう話題を変えている。またもや、「おスマじょう」という名前らしい、この家の婆《ばあ》さんに関することだ。

「とにかく入院せんで済んだっちゅうところが、よかったねえ」

「いや、先生はね、すすめたちゅうて。だけどおスマじょうが、絶対に嫌ちゅうて。骨が折れとらんなら、あとはもう、自分ん家で治したいって」

「ねえ」と言われた時だけ、飯を頬張ったまま、翔人はうん、とうなずいた。それは、その通りだ。

「いっぺん、こうじゃ言うたなら、聞く人じゃないかい」

「そら、そうだわ」

カブに二人乗りをして、この家に戻るなり、翔人はまず婆さんから請われるままに電話をかけて医者を呼んだ。その段階で初めて、この婆さんが「シーバのヤタテのワラヤのスマ」と名乗っているのを聞いた。そして、婆さんの「あいぃたいぃ」を聞きながら、やはり言われた通りにタオルを濡《ぬ》らしたり、洗面器に水を張ったものを運んだりして、婆さんが自分で傷口を洗うのを見ていた。婆さんは、何かの呪文《じゅもん》のようなものを口の中でブツブツと繰り返しながら、のろのろ、そろそろ、と自分の傷を洗っていた。

一時間ほどもして、ようやくやってきた医者は、婆さんのケガの状態を確かめると、翔人に向かって、すぐに町の病院へ連れていけと言った。

「町の病院？　先生が連れてけば、いいじゃないですか。何で俺が——」

「僕は駄目だよ。僕の診療所にレントゲンはないし、町の病院まで行った方が、結果として早いって。君、運転出来るんだろう？」

「だけど、俺、この辺の道――」

その時に婆さんが、自分の家のトラックは故障したままだと告げた。そういえば、さっきも婆さんは似たようなことを言っていた。しかもこの時間になってしまうと、隣近所の人々も出払っているというようなことを話すと、医者は「そうか」と腕組みをし、それから立て続けに電話をし始めた。話しぶりから、一件目が病院で、二件目がタクシー会社、三件目が自分の診療所らしいと分かった。いずれの場合も、その医者は電話口で何度も「大丈夫」「付き添いがいるから」と繰り返した。

「ぼう、洗面器の水、取り替えてな。先生に手え洗ってもらうけえ。そんで、新しいタオルも。場所、覚えとるじゃろ」

「ぼう、仏壇の脇のナイロン袋、とってきてな」

「ぼう、お湯沸かして。やかん、火にかけてな。茶簞笥《ちやだんす》の中に、湯呑《ゆの》み茶碗と急須《きゆうす》と、あるけえ。お茶葉も。先生に飲んでいただくけえ」

陽の射し込み始めた縁側で、応急処置を施されている間も、婆さんは何かというと翔人に用を言いつける。その度に、翔人は見も知らぬ人の家の中を右往左往しなければならなかった。何とか抜け出す機会をうかがいたかったのに、医者は、翔人が淹《い》れた、絶対に旨そうに思えない茶をすすりながら、一向に帰ろうとしなかった。辛うじて何とか出来たのは、唯一《ゆいいつ》、仏壇の脇にあった煙草《たばこ》を一本、失敬したことだ。吸ったことのない銘柄だったが、とにかく煙草が欲しかった。

そして結局、翔人はまた婆さんを負ぶってタクシーまで運び、そのまま、医者に見送られて家を出た。運転手は婆さんの顔見知りらしく、ことの成り行きなどを聞いて、しきりに「そりゃあ、なえたなー」などと繰り返していた。そうして、ゆうに小一時間はかかる道のりを走り、ようやく町までたどり着いたのだった。どこまで行っても似たような風景ばかりを眺めながら、翔人はいよいよ、ここがどこなのか分からなくなりつつあった。唯一分かったことといえば、あのまま歩いていたら、大変な思いをするところだったということだ。

レントゲンを撮った結果、婆さんは骨には異常のないことが分かった。額の方は二針縫う怪我だったし、膝《ひざ》からくるぶしにかけては、大きくすりむけて皮膚がズルズルになって、いわゆる擦過傷というヤツだったらしいが、いずれの傷も、診療所の医者が消毒しておいたお陰で、このまま化膿《かのう》さえせずに傷口がふさがってくれれば、そう心配はいらないだろうということだった。診察と治療の間中、翔人は婆さんの傍にいることになった。婆さんが「ほい」「ほれ」と自分の持ち物を翔人に持たせるし、「あいぃたいぃ」と言っては、翔人の腕に摑《つか》まるからだ。その都度、医者の隣に立っていた看護婦が、にっこりと微笑《ほほえ》んで翔人を見るから、翔人は何ともいえず恥ずかしい気分で、結局、付き添っているしかなかった。

「驚きだなあ、スマさん。その歳で、しかもバイクで転んで骨に何の異常もないなんて、奇跡だよ、奇跡。よっぽど丈夫に出来てるんだなあ」

医者は、婆さんの痩《や》せた肩を叩《たた》きながら何度も褒めた。だが、それでも当初は婆さんの年齢を考え、また他にも肘《ひじ》や腰などを強打して、あちこちに内出血を起こしていることから、「念のために」入院することをすすめた。今夜あたりから発熱する心配もあるらしい。それでも婆さんは、頑として首を縦に振らなかった。

何とか婆さんの傍を離れられたのは検査と治療が終わって薬が出るまでの間、煙草を買いに外に出たときだけだ。いや、本当はその時にトンズラするつもりだった。だが病院を出て、通りすがりの人に「駅はどこですか」と聞いたら、ひどく驚いた顔をされて、この辺りに鉄道は通っていないと言われてしまった。四国には鉄道はないのかと思い、それだけで途方に暮れて、結局、また病院に戻ったのだ。

「――で、またタクシー呼んで、帰ってきたってわけスがね」

自分が逃げそびれたことは除いて、おおよその事情を簡単に話して聞かせると、三人の女たちは、しきりに感心した様子で何度も大きく頷《うなず》いている。

ね」

「そりゃあ、入院やらしたら、おしまいじゃって、おスマじょうはいつも言うとるが

「ヨシおっちいのこともあるけえ」

三人はまた「ねえ」と互いに顔を見合わせる。

「あげにしっかりしていなさった、おっちいが、入院してからは、あっという間じゃったもんねえ。やっぱ怪我が治る間に、頭やられるっていうのは本当じゃろかねって、あん時に思うたわ」

「そうでなくたって、あんた、足腰だって弱るし、気も弱るしねえ、それでもう、寝たきりじゃが」

「寝たきりだけは嫌ちゅうて、おスマじょう、いっつも言うとるし」

「百まででん、働き続けたい人じゃかい」

「そりゃあ、うったちだって同じじゃけんど」

「おスマじょうがいちばん、百に近いわけじゃかい」

黙々と箸《はし》を動かしていた翔人は、思わず「百？」と女たちを見た。

「ばあちゃんて、いくつなんスか」

黄色いエプロンの女が、わずかに非難がましい表情になって「あれ」と言う。

「知らんと？」

「──知らんス」

「そんくらい、覚えちょっほうがええよ。まあ、うちんとこの孫じゃって、おっちいもばっきいも、そん歳どま、なーんも知らんかも知らんけど」

「──覚えてって」

「来年で卒寿じゃったねえ。おスマじょう」

「そうそう。去年、米寿のお祝いをしたっちゃかい」

「卒寿？　米寿？　なんスか、それ」

女三人は一瞬、口をつぐみ、それからまた一斉にゲラゲラと笑い出す。何をするにも揃《そろ》っているのだろうかと、翔人は不思議になり始めていた。この人たちは姉妹なのだろうか。それとも婆さんの親戚《しんせき》か何かなのか。

「今どきん子が、こんげものを知らんとは思わんかった」

「ぼう、大学で何、習っちょると」

「習ってるって──まあ、色々」

「シシは食べらるっとか、米寿とか卒寿とか、そんなことは、習わんと」

「まあ──受験にも関係ないスからね」

ふうん、とまた三人は頷いている。

「あの。みんな、さん、は、どういう人たち、なんスか」

「どういう？　人？　ああ、うったち？」

ピンクエプロンはこともなげに「近所んおばちゃん」と言った。

「うちは、ほら、ここん隣ね。縁側から見える、くれえ屋根の。ぼうとおスマじょうとが病院から戻ってきたところが、うちんとこから見えたかい、あらら、どしたかなーと思って見に来たわけよ」

「そんで、チエさんから電話もらって、うちが知って。うちは、チエさんところの向こうの、少し下ったとこじゃかい」

小花模様が自分の胸を押さえるようにして言う。

「私んとこは、そこから大きい杉の木を回り込んだ、向こうの家ね。で、カズエさんから教えられて、ありゃありゃって言うて」

最後に、黄色エプロンが言った。この女は、最初に見たときからどうもおふくろを彷彿《ほうふつ》とさせる。

「と、いうことは、皆、近所の人たちなんですか」

三人の女たちは一斉に「そうそう」とうなずいている。翔人は「へえ」と、ただ女たちを見回すしかなかった。少なくとも翔人自身は生まれてこの方、隣の住人が自分の家に入り込んでくるような生活というのは、経験したことがない。

「ぼう、名前は？」

「名前？　あ、ええと、伊豆見――」

こういうときに限って、咄嗟《とっさ》には嘘《うそ》がつけないものだった。しまった、と思いつつ、つい名字を口にしてしまったところで、だが、三人の女たちは一斉に「いずみ！」と声を上げ、「へえ」「まあまあ」と感心したようにこちらを見た。

「また、えろうむぞうな名前つけてもろうたもんじゃねえ」

「男の子じゃって分かってて、そうつけたとかね」

「ああ、いや――あの、むぞうって――」

「照れんでも、ええよ。むぞうな名前じゃもん。ねえ。多分どっちが生まれてん、ええようにいうて、つけたっちゃねえじゃろか。あんたのお父さんは、きっと、こん村のこと、しっかり思い出しながら、つけたと思うよ」

「こ、この村を？」

黄色エプロンが「聞いてないと？」と不満げな顔になった。やはり、おふくろに似ている。特に、こういう顔をすると。

「だって、いずみじゃろう？　何せ、こん村は水の湧《わ》き出とっとこが多いし、おいしい水じゃって、聞いとらんと？」

「――水？」

「柔らこうして、甘《あも》うして、そりゃあ、ええ水が飲めるよって」

「忘れるはず、ないが。帰ってこんでも、ちゃあんつ思い出しとるっちゃねえ」

「椎葉《しいば》いずみ。へえ、ええ名前じゃねえ」

そこまで話を聞いていて、ようやく合点がいった。女たちは、翔人の伊豆見という姓を、その響きだけで名前と勘違いしたのだ。その上に、彼女たちの知っている誰かの息子だと思っている。

――俺が、俺じゃない。

べつに、翔人が嘘をついたわけではない。この女たちが勝手に早とちりをしただけのことだ。だが、図らずも本名を隠しておけることになったらしい状況に、翔人は少しだけ気持ちが楽になるのを感じた。それにしても、どうして誰かの息子と間違われなければならないのか、そこが分からなかった。だが、その「誰か」が誰なのかを、下手に尋ねることはためらわれた。自分の名字を人に聞くような馬鹿など、いるものか。

――しいば、いずみ、か。俺が。

くすぐったいような、照れくさいような、奇妙な気分を味わいながらも、ひたすらに箸を動かし、さらに三杯目の飯も平らげて、ようやく目の前に並べられた食器のすべてが空になった。

「お代わりは？」

「もう、もう、いいっス」

「食べ取ったね」

「食べました、食べました。もう、さんざん」

思わず大きくため息を洩《も》らして、そのまま身体《からだ》を後ろにそらしただけで、女たちはまたゲラゲラと笑った。

4

ひんやりとした寒さを感じて寝返りを打った。耳の下でしゃり、と微《かす》かな音がする。足の裏に触れる畳の感触が心地良い。膝を折り曲げ、その畳の感触を味わっている時に、ぼおん、ぼおんと時計が鳴った。翔人はふいに目を開いた。

赤毛のアン
モンゴメリ
村岡花子／訳
akage no anne
montgomery
吾輩は猫である
夏目　漱石
wagahai wa neko dearu
souseki natsume
人間失格
太宰　治
ningen shikkaku
osamu dazai
注文の多い料理店
宮沢　賢治
chumon no ooi ryouriten
kenji miyazawa
きらきらひかる
江國　香織
夜のミッキー・マウス
yoru no mickey mouse
shuntaro tanikawa
ティファニーで朝食を
カポーティ
tiffany de chousyoku wo
capote
未来いそっぷ
星　新一
mirai isoppu
shinichi hoshi
Yonda?
新潮文庫の100冊
限定SPECIALカバー

――またかよ。今度は俺、どこにいんだ。

すすけた天井が見える。茶簞笥《ちゃだんす》。柱時計。かっこん。かっこん。鈍く光る銀色の振り子が、箱の中で揺れているのを眺めるうちに、はっと気づいて跳ね起きた。

――やべえ。また寝ちまった。

首の辺りにうっすらと寝汗をかいていた。それを指先で撫《な》でると、全体にぬるりとしている。しばらく風呂《ふろ》にも入っていないのだと思い出した。

午後四時を回っていた。翔人のために昼食を運んできた女たちが笑いながら帰っていった後、あまりに満腹で、つい寝転んだ。そうして、そのまま寝てしまったらしい。無理もない話だった。寝不足が何日も続いていたし、久しぶりに思う存分旨い飯を食って、しかも畳の上で、こんなに手足を十分に伸ばして横になれるなんて、それ自体が、久しぶりだったのだから。

――だけどまた、夜になっちまうじゃねえかよ。ったく。

昼過ぎまでは燦々《さんさん》と陽の光が降り注ぎ、眩《まぶ》しいくらいだった縁側は、すでに夕闇《ゆうやみ》に溶け始めていた。ガラス戸の向こうには、淋しい夕暮れ時の空と、いくつもの山影ばかりになっていた。その静かな風景を、翔人はしばらくの間、ぼんやりと眺めた。

――どうすっかな。これから。

とりあえず、こんなど田舎からは早く逃げ出すに限る。そのためには、まず何をすべきだろうか。

考えるまでもなかった。何はともあれ、金と足の算段だ。さっき煙草を買って、いよいよ有り金はほとんどなくなった。こうなったら、ある程度の金と、バイクでも車でも構わない、何とか大きな町までたどり着く手段が必要だった。バイクは、いざとなったらこの家の玄関先に停めてあるスーパーカブで構わない。つまり、肝心なのはやはり金ということだ。

この家の婆《ばあ》さんは、果たしてどこに金を置いているのだろうか。取りあえず、それを探すところから始めようと思った。ようやく立ち上がろうとして、その前に何気なく振り返り、翔人は、おや、と思った。自分の寝ていた場所に、頭の形に凹んだ枕《まくら》がある。どう見ても、翔人自身が使っていた枕だ。触れてみると、布とも思えないくらいに固い感触のカバーの下には、しゃりしゃりとした小砂利のようなものが詰まっている。それだけではなかった。すぐ脇《わき》には、丸まった毛布もあった。ピンク色の地に大輪の薔薇《ばら》が咲いている毛布の縁に、タオルが縫いつけてあるのを、翔人はぼんやりと眺めていた。

——さっきの三人のうちの、誰かかな。

眠ってしまった翔人のために、毛布と枕を出していってくれた人がいる。そう気分の悪いものではなかった。いや、むしろ、何ともいえない感じがした。今さらながら「余計なことをするなよ」と払いのけたいような、だが、それ自体も決して本気ではないということを、ちゃんと知っておいて欲しいような、そんな感じだ。

　立ち上がるのを忘れて、翔人はまた少しの間、ぼんやりしていた。うんと子どもの頃、こんな気分を味わったことがあるような気がする。昼寝などしていたのが何歳の頃までだったか、はっきりとした記憶もないが、確かに昔、こんな目覚め方をしたことがある。

「あら、起きたね」

　ふいに、縁側のガラス戸がカラカラ、と音を立てて開いた。頭にタオルを巻いて、わずかに口を開けてこちらを見ている顔を見て、翔人は思わず目を丸くした。

「――ばあちゃん」

「陽が落ちると、冷えてくっとよ。昼寝の後は特に風邪ひきやすいちゅうて、いうかい、気をつけんといかんよ」

「何、やってんだよ」

　足元に置いてあったらしいカゴを、「よいせ」と言いながら縁側に載せる婆さんを、翔人はまだ信じられない思いで眺めていた。

「どこ、行ってたんだよ」

「畑って？　畑に決まっとるわね」

「畑って。怪我人《けが》だろう？　寝てるとばっかし思ってたじゃねえかよ」

「そんげ、一日中寝てなんて、おれるもんね」

「だって――」

「病《やみや》とは違うっちゃからね」

話している間も、婆さんは何かしら手を動かしている。

「痛く、ねえのかよ」

「そら、痛いよ。ばっちゃんにしてみりゃあ、こりゃ、おっけん怪我じゃ」

「だったら、休んでりゃあ、いいじゃねえか」

「休んどったら、そのまま頭も身体も、あんぽんたんになると。畑だって、ほたっちよくわけに、いかんじゃろうね」

再びカラカラと戸を閉め、やがて玄関口から回り込んできて、縁側まで戻ると、婆さんは「あんな、ぼう」と言った。

「風呂は自分で湯、入れてな。やり方、教えたるけえ。わしは、しばらくは風呂入ったら駄目じゃって、先生に言われとるけえ」

「――風呂？」

「ゆるりとすりゃあ、ええよ。えらい疲れとるみたいじゃけえな」

「俺？」

「何せ、ずごんずごん、よう寝とったばい、枕当ててやったって、全然、気がつかんくらい」

するとこの毛布と枕は婆さんが出してくれたのか。翔人は、ますます信じられない思いで婆さんを見ていた。あんなに白い、紙のような顔色になって助けを求めていた怪我人が、自力で歩くこともままならず、翔人にしがみついていた婆さんが、多少、足を庇《かば》っている様子ではあるが、それでもそろそろと動き回っている。

「早めに入ったがええよ。その間に、晩飯の支度、しといてやろう」

「――晩飯？」

「ほれ、ちっとおいで。風呂の使い方、説明するけえ」

わずかに腰の曲がりかかった婆さんに手招きをされて、翔人は取りあえずは素直に立ち上がった。

「ばあちゃん、俺――」

「ばっちゃん家も、こんげ古うなっとるけどな、風呂は、まあ綺麗《きれい》じゃが。去年、大阪の息子が全部、新しゅうしてくれてな」

「あのさ、俺、風呂なんか入ってたら――」

「ああ、分かっとる。着替えじゃろ。何も持ってないんじゃろ？　最初っから、ぼうは身ぃひとつじゃったもんなあ」

「だって、俺は――」

婆さんと向き合うようにして立ち、自分よりもよほど低い位置にある、その顔を見た。額にガーゼを貼《は》られ、さらに頭全体にネット包帯を被《かぶ》せられた婆さんは、小さな眼をしょぼしょぼとさせながら「なに」とこちらを見上げる。ふと、今この場で、「金を出せ」とやれば簡単なのだと思った。いや、脅す必要さえない。怪我をしたところを運んでやり、病院にまで連れていってやったのだから、その謝礼をもらいたいと言えば、それで済むではないか。つまりは当然の報酬を要求するということだ。泥棒呼ばわりされる心配もない。

「俺、ばあちゃんの役に立ったろう？」

「そうじゃなあ。ほんに今日は、ぼうに助けてもろうたわ」

婆さんは、にっこりと笑った。顔中に皺《しわ》が寄った。

「俺が通りかかって、よかったろう?」

「ほとけ様のお導きじゃと思うたよ」

筋張って、やはり皺だらけの手を顔の前で合わせて、婆さんは今、この場に「ほとけ様」とやらがいるかのように拝んでいる。

「じゃあ、俺に感謝してる?」

「しとる、しとる」

「だったらさ――」

翔人が喋っている間に、婆さんはふいに顔の向きを変えたかと思うと、ひょこひょこと歩いて壁のスイッチに手を伸ばした。ぱちん、という音と共に、急に室内が明るくなった。その明るい光の下で、婆さんは改めて顔をくしゃくしゃにして笑っている。

「――だからさ、ばあちゃん。俺――」

せっかく気を取り直して言いかけているのに、婆さんは、今度は「あっ」というような顔をして、驚いたようにこちらを見る。

「何だよ、今度は」

「そうそう。忘れちょった! そうじゃった、そうじゃった! ぼうにお礼をな、せんとな」

何だ、そちらから気がついてくれれば話が早い。翔人はほっと胸を撫で下ろし、初めて自分もにんまりと笑った。婆さんは、しみじみとした表情で何度も頷《うなず》き、そして、改まった表情で翔人の顔を見上げてきた。

「ありがとう。本当に」

言いながら、婆さんの乾いてかさかさとした手が、翔人の手を握った。翔人は、ぽかんとしたまま手を握られていた。翔人よりもずっと陽に焼けて、筋張った小さな手が、翔人の白い手を握っている。その手は何度も何度も翔人の手の甲を撫でた。そして婆さんは、まるで拝むように、小さな身体を深々と折り曲げた。

「——ばあちゃん」

翔人が呆気にとられている間に、次には、婆さんは背伸びをするように、翔人の頭に手を伸ばしてきた。

「おおきにじゃった。おおきにじゃった。ぼうは、優しげな、ええ子じゃ」

伸び上がるようにして、翔人の頭に触れる。ぽん、ぽん、と、わずかな重みが感じられた。

「ほんに嬉《うれ》しかったよ、ばっちゃんは。ええ子に育った。よかった、よかった」

妙な気分だった。そういえば、昼飯を運んできた三人の女たちも、何やら妙なことを言っていた。明らかに、翔人を誰かと間違えているらしかった。まさか、この婆さんも翔人と誰かを間違えているのだろうか。

——惚《ぼ》けてるのか？

そうは見えないが、だが、分からない。何しろ、こんな年寄りと話をしたこと自体ないのだから、同じ人間という感じすら、しないのだ。

「ばあちゃん——俺のこと、誰だと思ってるわけ？」

「誰？　さあ、誰じゃろうかい」

まだ人の頭を撫でながら、婆さんはとぼけた応《こた》え方をする。翔人は婆さんの手をかわして、改めてネット包帯の下の目を覗《のぞ》き込んだ。

「俺、ばあちゃんの知り合いか？」

すると婆さんは少しばかり不思議そうな表情で小首を傾《かし》げ、「さあ」と呟《つぶや》いた。

「まあ、そんなとこじゃろうかね。こうやって、わしんとこで飯食って、昼寝して、くつろいどるかい」

「——俺の名前とかは？　知ってる？」

「いずみ」

「え——」

「と、道代が言うちょったけど」

「道代？」

「昼間、ここに来てた人たち、おったじゃろう。そん中におったけどね。いちばん歳《とし》若《わか》い、背ぇの高い」

ああ、黄色エプロンのことかと納得した。これで、あの三人全員の名前がようやく分かったことになる。婆さんは、やはり小首を傾げたまま「いずみねえ」と繰り返す。

それから、ぱっとこちらを見上げて「ほんしょうの名前かい」と言った。翔人はつい口ごもった。

「あ——当たり前だろう。俺、べつに嘘《うそ》なんか、ついてねえんだからさ——嘘つく、理由なんかも、ねえんだし」

婆さんは「ふうん」とうなずいた。

「まあ、ええわ、何でん。どうでん。ちいとも、構わん。どら、そしたら、風呂《ふろ》の入れ方教えるかいね」

そして婆さんは、くるりときびすを返す。足を引きずるように、ひょこ、ひょこ、と歩く姿は、やはり痛々しかった。

——惚けてるわけでも、ねえのか。

それならばなぜ、翔人に対して、このような扱いをするのだろうか。それが分からない。

——何か、企《たくら》んでいやがるのかも知れねえぞ。ただの年寄りじゃ、ねえのかも。

何しろ、ここは四国の山奥だ。下手をすると地図にも出ていないような、そんな場所に迷い込んでしまったのかも知れない。突然、翔人の脳裏に「まんが日本昔ばなし」で見た話が思い出された。山姥《やまんば》だったか、または鬼ババアだかの話だ。たしか、道に迷った旅人を泊めてくれる婆さんがいて、それは親切にしてくれると思っていたら、真夜中になると包丁を研ぎ始めたというような話だったと思う。その旅人を殺して食うために。

——まさか。

背中をぞくぞくっと何かが駆け上がった。

今の時代に。そんな婆さんがいるはずがない。だが、それなら何故《なぜ》、当たり前のように風呂にまで入れようとするのだろうか。まず、それが分からなかった。

「難しいこと何もないけえ。ええね、風呂桶《おけ》に栓して、で、ここ押して、次にここ押すと、こっからお湯が出てくっからね」

話している間に、もう勢い良く湯がほとばしり始めた。

「案外早く、たまるとよ。途中でぬくうしようと思うたら、こっちにピッピッてやって、うべようと思うたら、反対側に、ピッピッとやりゃあ、ええと。若い人は、こういうとは得意じゃろが？」

家は全体に古びているが、確かに婆さんの言う通り、浴室は都会のマンション並みに新しく、また清潔そうに見えた。そういえば便所も、ウォシュレットつきの洋式だった。不潔そうだったり、和式の便所に入ると、盛り上がっていた便意さえ鳴りをひそめてしまう体質の翔人にとっては、それは意外な発見であり、喜びだった。

「なら、ゆっくり入んないよ」

「だけど、俺——」

「心配せんでええ。息子の、何か着替えがあるはずじゃかい。大きさも、まあ、合うじゃろ。ああ、そしたら」

そして、婆さんは思い出したように改めてこちらを見上げてきた。

「着とるもん、洗わんとな」

「え——いいよ」

「ええこと、ない。そげなええ若《わ》けもんが、垢《あか》じみた臭《にお》いさせとるもんじゃないがね」

それから婆さんは、今度は風呂場の入口近くに置かれている洗濯機の使い方を説明し始めた。

「こっちは風呂と違うて、ちっと古いよ。時々、機嫌が悪いと、動かんようになるからね」

言いながら、婆さんはにまっと笑う。深い意味でもあるのか、またはただ笑っただけなのか、それも分からない。

「こっちの広い桶で、がんらがんらて回したら、こっちに移して、ええね、必ずこん中フタしてから、ここも閉めて水を切っとよ。ほしたら、またこっちに戻して、こんだ、すすぎやからね。ちょうろ、ちょうろて、水出しながら」

洗濯といったら、コインランドリーで衣類と洗剤とをぶち込み、ただ金を入れるだけしか経験のない翔人にとって、婆さんの説明は長たらしくて複雑だった。

「風呂ん湯がたまっと待つ間に、回しゃあ、ええが」

そうして婆さんは、うん、うん、というような小さな声を洩らしながら、足を引きずって行ってしまった。磨《す》りガラスの向こうからは確実に夕闇《ゆうやみ》が迫ってきている。今朝、聞いたのと同じカラスの声が、カア、カア、と聞こえた。徐々に湯気が満ち始める浴室と、古びた洗濯機とを見比べながら、翔人は、ぼんやりとしていた。

5

空腹を感じて目が覚めた。ぼんやりした頭のまま、翔人は目を開くよりも先に、ごく自然に布団の中で大きく伸びをしていた。

「う、く、く、く――」

呻《うめ》くような声を絞り出しながら、素足でシーツの感触を味わう。顎《あご》の下に触れる少し古びたタオルの肌触りも、布団の重みも、何もかもが、ついひとりでに笑い出したくなるくらい、穏やかだ。翔人は深々と息を吐き出して、それからようやく目を開き、すぐにはピントの定まらない目で、一条の光が射《さ》し込んでいる天井を見上げた。

――すげえ、よく寝た。

この家には風呂場と便所以外のすべての窓に雨戸がある。このところ毎晩、婆《ばあ》さんに家中の雨戸を閉めろと言われて、それが翔人の仕事のようになっているのだが、いつも好い加減に戸袋から引っ張り出すだけだから、ぴたりと閉まっていたためしがない。何しろ、これまでに雨戸のある部屋で暮らしたこともなければ、翔人が記憶する限り、自分で雨戸を閉めた経験も皆無ときている。だから毎日、雨戸の隙間《すきま》から外光が洩れてきて、その光が翔人の目覚まし代わりになっていた。

――十時過ぎ、か。

少ない明かりを頼りに腕時計をかざして、翔人は大きく深呼吸をした。光の細い筋の中では、無数の物体が舞い飛んでいるのが見える。昨日もそうだった。生き物なのか、または単なるホコリなのか、ごく細かい何かが、ふわふわと、時として何かを目指すように飛んでいる。それを眺めていると、何となく一人ではないような気分になるのが不思議だった。辺りはこんなに静かだが、本当は賑《にぎ》やかなような、単に翔人の耳には届かないだけの、様々な生き物のたてる物音がしているような気がしてくる。淋しくない気分だ。

――ああ、いい感じだな。

ここで寝返りを打ったら、簡単にもうひと眠り出来そうだ。だが、便所に行きたかったし、そろそろ腹が減ってきていた。一度は起きなければ仕方がないらしい。

思い切り大きくあくびをしながら素足のままで階下へ降りると、目映いほどの午前中の光が一杯に広がっていて、翔人は思わず目を細めた。縁側のガラス戸を通して見えるのは、あくまでも青い空と、昨日と変わらない山並みだ。一昨日は午前中から曇って、午後には少し雨が降ったのだが、天気はまた持ち直している。

便所で用を足した後は、茶の間の奥にある部屋の仏壇に置かれた煙草《たばこ》をとってくる。最初はあまり旨《うま》いと思わなかった銘柄だが、ないよりはマシだ。それに、もう大分、この味にも慣れてきていた。その煙草をくわえながら再び縁側に出て、ガラス戸を開け放つと、庭の片隅で昼寝をしていた婆さんの愛犬「ゴン」が、わずかに顔を上げて柔らかく尻尾《しっぽ》を振った。何と何の雑種なのか、黒と茶色が混ざっていて、大きな耳は先が垂れているし、何となく情けない顔立ちの犬だ。翔人が「よう」と声をかけると、丸まった尾の振りが少し大きくなった。

「バカ犬。元気か」

ゴンは嬉しそうだ。

「お前、本当にバカなんじゃねえのか」

軽く口笛を吹くと、ついに立ち上がって、ゴンは、いよいよ盛んに尾を振り始めた。ゴンをつないでいる鎖が、エサ入れに使っている鍋《なべ》にぶつかって、カン、カン、と音を立てた。

「誰にでも尻尾振りゃあ、いいってもんじゃねえんだぞ、おい」

相手は泥棒で殺人者なのだから、という言葉は、口には出さなかった。

第一、今のところ、この家に対しては翔人は殺人者どころか、泥棒ですらない。取りあえずは、客だ。それにしても、まるで何でも盗んでいってくれと言わんばかりに、不用心なことこの上もない家だった。どんな家だって、多少の現金くらいはどこかに置いているに違いない。そう思う翔人も気が向いたときには、ちょこちょこと探し回ってはいる。だが、未《いま》だに何も見つかっていない。いつも煙草を失敬する仏壇の中にもないし、婆さんの寝室に置かれたタンスの中にもない。茶の間の押入もざっと覗《のぞ》いてみたが、財布も金庫も、何も見つけられなかった。

大体、いくら金を盗んだことがあるとはいえ、翔人の場合はたった一度のコンビニ強盗を除けば、あとはひったくり専門だったのだから、家捜しのような真似はしたことがない。個人の家の、果たしてどんな場所に金目のものが隠されているものかなど、実は想像さえつかなかった。

——ああ、いい天気だ。

庭先の物干しには、婆さんの洗濯物に混ざって、翔人の服も干されていた。その下着の白が眩《まぶ》しく見える。物干しの手前には、大きなザルのお化けのようなものがいくつも並んで、シイタケやら他の野菜やら、翔人にはよく分からない穀類などが入れられ、それぞれに陽射しを浴びていた。

「ばあちゃんは、もう出かけたのか」

煙草の煙を吐き出しながら、なおも話しかける。相変わらず、ゴンは尻尾を振るばかりだ。鍋も一緒にカン、カンと鳴る。それ以外、どこからも返事は聞こえなかった。この一週間あまり、いつもそうだ。

——そうか。今日は病院だ。

最初のうちは毎日、それから一日おきに、婆さんは町の病院へ通っている。行きは、近所の誰かが勤めに出るのに、その車に乗せてもらって、帰りもまた、誰かのついでに乗せてもらうらしい。最初は、怪我の影響で熱を出すのではないかなどと言われていたし、実際に怪我をした当日の昼間は少し床についたものの、多少の熱くらい「出ると思えば出てくるもんじゃし、ないと思えばそれで済む」などと言って、婆さんは、あれ以降、一日として休むことがなかった。病院へ行っても、この二度ほどは、傷口の消毒とガーゼや包帯を交換するだけで、「ちょちょいのちょい」で終わりになると言っていた。

「せっかく時間をかけて行っちょるとじゃから、まちっと丁寧に診てくるりゃあ、ええとも思うけんど、もうすることがありませんち、言われてしまうけえ。用のない人は帰りなさいって。せっかく、たまあに病院にかかるのに、何か、張り合いがない話じゃねえ」

一昨日辺りは病院から戻ると、そんなことも言っていた。翔人が「ぜいたくだぞ」と言うと、少し笑った。

何しろ元気な婆さんだった。じっとしているということがほとんどない。ことに病院のない日となると、朝は翔人が起きる頃にはとうに出かけていて、あとは昼飯どきと三時頃にちらりと帰ってくる程度で、またすぐに出ていってしまうくらいだった。夜は夜で、飯を食った後もやはり何かしら動き回っているし、やっと少し静かになったかと思うと、いつの間にか寝てしまっているという具合だ。だから、翔人とまともに話をすることも、ほとんどない。この村に来て、つまりは婆さんの家に寝泊まりするようになって、かれこれ八日ばかりたっているはずだが、その間に喋《しゃべ》ったことといったら、実にわずかしかなかった。婆さんは、翔人に余計なことを聞かない。翔人は、どこから来たとも、何をしているのかとも、未だに一度として尋ねられていなかった。

一方、翔人の方からはいくつかの質問をした。まずは、婆さんが一人暮らしなのかどうかということ。それを確かめておかないことには、何をするにも気が抜けない。

「見れば分かるじゃろうが。父さんが死んでからは、ずっと一人たい」

婆さんは答えた。次に、テレビのチャンネルのこと。婆さんの家には茶の間に、それほど古くもなさそうなでかいテレビがあったが、いくらチャンネルを換えても同じ局ばかりが映って、よくわけが分からないのだ。

「テレビいうたら、NHKと、テレビ宮崎と、あとは宮崎放送じゃろ。三つもありゃあ、十分じゃろうが」

婆さんは澄ました顔で言った。民放は二つだけかよ、あとの三つはどうしたんだと呆《あき》れそうになりながら、宮崎、という言葉を聞いて、翔人はやっと思い出したことがあった。何より、この村が日本のどこにあるのか、ということだ。

「そりゃあ、あんた」

最初、婆さんは目を白黒させて、「宮崎」と答えるばかりだった。

「だから、その宮崎って名前なんだけどさ。県？　市？」

「ケンシて？」

「だからさ——じゃあ、ばあちゃんちの、この家の住所、正確に教えてよ。一番最初っから」

すると婆さんは初めて、「宮崎県東臼杵《ひがしうすき》郡椎葉《しいば》村《そん》」という住所を口にした。何だ、宮崎は県なのかと、翔人はぼんやりと、自分の頭の中にある日本地図を探ったが、やはり、どうもよく分からなかった。

この椎葉村が、ひいては宮崎県が、その上、四国ではなく九州に位置すると分かったのは、さらに数日たってからのことだ。晩飯に、シカの刺身が出た。近くの爺《じい》さんが届けてきたのだ。婆さんは喜んでいたが、食卓に出された赤い肉を見て、しかもシカと聞いたときには、翔人は思わず「シカ?!」と悲鳴を上げそうになった。

「つまり、バンビ、バンビかよ」

「バンビ?」

婆さんはきょとんとしていた。イノシシはともかくとして、あんな可愛《かわい》らしい動物まで食うのかと、翔人は、背筋の寒くなる思いだった。ところが一口食べて、またも や考えが変わった。柔らかさ。甘味。味わい。また、刺身とはいえ、どんな魚とも異なる旨みがあった。

「イノシシも、シカも食うってことはさ、クマの肉とかも、食うの?」

むしろ、旨いことは旨いが、少し固くてクセのあるイノシシより、よほど柔らかくて旨いではないかと、次々にシカ刺しを頬張りながら尋ねると、婆さんは澄ました顔で首を振った。

「九州には、クマはおらんと。もう何年も前に、獲り尽くしたちゅう話じゃけんど」

「――九州? ええ? ここって、九州なのかよ。宮崎って?」

心の底から驚いた。思わず箸《はし》を宙に浮かせたまま、ぽかんとなったままの翔人に、婆さんの方も「あんた」と目を丸くしていたものだ。

「あんたの話は、どうもよう分からんねえ。妙なことばっかり言っちょるし。自分がどこにおると思っとると。宮崎じゃって、教えてやったじゃろうに」

「そうだけどさ。宮崎って、高知――四国なんじゃねえのかと思って」

あの時、翔人は初めて、婆さんが声を出して笑う姿を見た。顔をくしゃくしゃにさせて、天井を仰ぎ見るようにしながら、婆さんはケタケタと笑っていた。変な子じゃねえ。よくもまあ、そげなことで生きてこられたもんじゃねえ――最後の方では目もとに涙までにじませて、苦しそうに息まで切らしながら、それでも婆さんは笑っていた。あんまりおかしそうに笑うから、最初は「なんだよ」と箸の先をくわえて婆さんを見ていた翔人も、つられてつい笑ったくらいだ。

ゴンがまだ尻尾を振っている。その様子と、吐き出した煙草の煙が、陽射しに溶けていくのを眺めながら、翔人はぼんやりと遠くの山並みを眺めていた。

――ここは九州。宮崎県。

いくつも連なる、こんもりとした形の山には、その多くが上の方にまで畑が作られていて、しかも、ぽつり、ぽつりと人家らしいものが見えている。ほんの二、三軒だけの集落が、驚くほど山の上の、他からずっと離れたところに点在していた。

——今日も、何となく、出てけそうな感じがしねえな。

こういう長閑《のどか》な風景を眺めていると、昨日と同じ気分になった。毎晩、寝るときには思うのだ。明日こそ早く起き出してトンズラしようと。この際、金が見つからないなら見つからないで構わないから、と。こんな何もないところで、自分は一体、何をやっているのだろうと。それなのに、いつも寝坊してしまう。晴れていても、曇っていても、目覚めは心地良く、気持ちは穏やかだ。そうしてグズグズしている間に、ひと仕事終えた婆さんが戻ってくる。一緒に飯を食う。飯はいつでも旨かった。そして、腹が膨れると、翔人は自分でも不思議なくらいに、またすぐに眠くなるのだ。婆さんは、出かけていく。次に目が覚めれば、もう夕方だ。その繰り返しだった。

抜けるような青空と山並みの連なりは、こうして眺めていると、遠いのか近いのかが良く分からない。すぐ近くの景色のようにも、永遠にたどり着けない、遥《はる》か彼方の幻のようにも見えた。それが、数日前のように天気が悪くなると、何もかもかき消えてしまうのが不思議だった。まるで、上映の終わった映画のスクリーンのように、ただ灰色一色になってしまう。どっちが嘘《うそ》で、どっちが本当か分からないような感じだ。

今ははっきり見えている、あの、遠い山の上に建つ家からも、この家が見えているのだろうか。直線距離にしても相当に離れているとは思うが、実際に山を下り、また上っていこうと思ったら、果たしてどれくらいかかるのだろう。どんな顔の、どんな人が住んでいるのだろうか。

——何を好きこのんで、あんなところに住んでんだか。

静寂が、耳の奥にまで入り込んでくるようだ。時間が止まっているように感じる。こんな世界が、本当にあるのかと思う。それでも、ちっとも淋《さび》しくない。不思議なことに。

これも、翔人が毎日感じ続けていることだった。同じ日本にいながら、何という違いだろうか。

車の流れは河の流れと同様に途絶えることはなく、騒音をまき散らし、鉄道が横切り、人が溢《あふ》れ、四角い建物だけで埋まった世界がある。夜になっても暗くならず、たとえ人がいなくても電子音が満ちあふれ、ありとあらゆる匂《にお》いに染まった空気が澱《よど》んでいる世界がある。空は、単に建物の隙間を埋めるためのものだし、雲は雨を降らせるためのものに過ぎない。それが、日本のはずだった。少なくとも翔人は、そう思って生きてきた。そして、そんな中で、翔人はいつも一人で——いつも淋しかった。

ここには何もない。騒音も、ネオンも、ビルでさえ。空はあくまでも広く、そろそろ冬に向かおうというこの季節に、太陽の光はチリチリと肌を焼くくらいに感じられる。そして、夜になれば、吐き気を催すくらいの星空だ。眺めているだけで、ぐらぐらしてくる。流れ星なんか、珍しくもない。あると言ったら、それだけ。なのに、どうして淋しくないのだろう。

――九州とか言いやがって。

それだけだってかなり不思議なのに、もっと不思議なことがある。その一番が、婆《ばあ》さんだ。惚《ぼ》けているわけではないことは確かだ。翔人が赤の他人であることも、当然のことながら良く分かっている。それなのに、こうしてパジャマや着替えを出してくる。歯ブラシも新しいのをくれた。ひげ剃《そ》りもだ。いずれも、わざわざ買ってきた様子もないのに、きちんと畳みじわがついていたり、時には値札までつきっぱなしの、新品ばかりだ。

――身綺麗《みぎれい》にしとかにゃあ、いかんよ。

婆さんはそれしか言わない。それ以上には、何も聞いてこない。翔人を怖がるそぶりも見せないし、何かを疑っている感じでもなかった。もしも、新聞かテレビで翔人のことを知っていたり、少しでも妙な動きを見せることがあったら、その時は翔人は、ことと次第によっては、婆さんを殴り殺してでも逃げるつもりだ。どうせ一人殺している。この上、さらに一人くらい殺したって、どうということはない。

だが婆さんは、何も言わないのだ。たとえば翔人が仏壇の煙草《たばこ》を吸っていたって。それどころか、そろそろ空になる頃だと思っていると、当たり前のように、もう次の箱が置いてある。煙草さえ切れなければ、この家にいる限り、さしあたって金がいるということはなかった。それにしても、金の心配をせずに暮らせるのは、何と快適なことか。明日の飯のことも、寝る場所のことも心配せず、しかも毎日、風呂に入って下着まで着替えて過ごせるなんて、何年ぶりかと思う。だから余計に、尻《しり》が重くなってしまっているのかも知れなかった。

確かに、小さなことはあれこれと言いつけられるのだ。雨戸を閉めろとか、蛍光灯を取り替えろとか、時計のゼンマイを巻けとか、棚の上のものを取れとか。だがせいぜいが、そんな程度のことだった。その都度、婆さんは「ぼうは、ええ子」と言う。そして、小猿みたいな顔をして、にんまりと笑うのだ。一体、何を考えているのか、翔人のことをどう思っているのか、まるで分からなかった。

その上に、この家に出入りする人々だ。ほとんど集落とも言えないような村はずれだというのに、最初の日に会った三人の中年女だけでなく、この家には、シカ肉を持ってくる爺さんとか、山菜を持ってくる男とか、「かえでストア」のおばさんとか、それ以外にも入れ替わり立ち替わり、実に色々な人間がやってくる。こんなにひっきりなしに人がやってくる家というものを、翔人は知らなかった。彼らは、誰もが当たり前のように「おっとー？」と言いながら玄関の戸を開き、または時として縁側から上がり込み、そして、翔人に向かって、ただ「おスマじょうは？」と聞いた。初対面に決まっているのに、「お前は誰だ」と言うものはいなかった。

——要するに、これが田舎ってヤツか。

こちらに愛想を振りまくのもそろそろ飽きてきたらしいゴンが、ふいに、向こうを向いた。途端に、また激しく尾を振り始める。翔人は自分もぼんやりと、ゴンの見ている方に目を向けた。やがて、ピンク色のエプロン姿が視界に入ってきた。胸元に何か抱えていそいそと歩いてくる。最低でも一日に一度は顔を見せるチエは、翔人が初めて会ったときにも、やはりピンク色のエプロンをしていた。彼女は翔人の姿を認めるなり「あれ」と言い、眩《まぶ》しげに目を細めながら歩み寄ってきた。

「まぁだ、そげん格好しちょると」

「あ——今、起きたとこだから」

「今？　あれ、呆れたねえ」

翔人の前に立ち、チエは菱形《ひしがた》の顔で笑いながら「まだ育つ気かね」と言う。

「まだって？」

翔人は、ぼんやりと口を開けてチエのピンクエプロンを見上げた。この辺りのおばさんたちは、本当にわけの分からないことを言う。そして、翔人がぽかんとしているだけで、ゲラゲラと、さも楽しげに笑うのだ。

「寝る子は育つ、いうじゃろ」

「そんな言い伝え、知らねえ」

「――おスマじょうは？」

「病院じゃねえの」

「今日は病院の日じゃったかねえ」

「と、思うけど」

「何時頃、行きなさったかは――あんた、知らんとね。今さっき、起きたとなら」

「知らん、とよ」

「呑気《のんき》で、結構じゃ」

そうでもねえって、と言いかけた言葉を、何となく呑《の》み込んだ。ピンクエプロンが立ちはだかっているせいで、日陰になった。急に乾いた冷たい風を感じる。翔人は縁側に後ろ手をついて身体《からだ》をずらした。逆光になって、チエの顔がますます見えない。

「せめて、着替えたらどうね。病人じゃねぇっちゃから。ああ、まあ、病人みたいなもんかも知れんけんど」

チエはガラス戸を押し開いてスペースを作ると、自分も「よいしょ」と翔人の隣に腰を下ろす。翔人は新しい煙草をくわえながら「へ」と隣を見た。

「病人て、俺が？」

チエは、真っ直ぐに庭の方を眺めながら、ふん、と小さく鼻を鳴らした。

「似たようなもんじゃろ？　何しろ、あんた、帰ってきてから何日になる？」

「――そろそろ、八日、かな」

「その間、あんた、何しとる？　ほとんど毎日、家から出もせんで、寝てばーっか」

「そんなこと言ったって――」

「そんなに眠いとね？」

「――何となく」

「春先のごと？　なんぼでも？」

「――っつうか、まあ」

ふうん、と唇を尖《とが》らせて、チエは、今度はしげしげと翔人の顔を覗《のぞ》き込んできた。

菱形の顔が、すぐ近くまで接近してくる。

「あんた、家は東京じゃったなあ」

「つうか——まあ、埼玉だけどね」

「大学生じゃったなあ」

「——まあ」

「歳《とし》は、なんぼになるって言いよったかね？」

「二十、三」

「浪人したと？　一浪？」

「——いや」

「二浪？」

「——三浪」

チエは「三浪ね」と呟《つぶや》いた後、またもや、ふうん、と大きく頷《うなず》き、それから今度は肩を上下させてため息をついた。

「そりゃあ、苦労したねえ。よっぽど疲れが、たまっとるっちゃないとね」

「——疲れ？」

「そんげ大変な思いして、必死で勉強して、やっとかっこ、大学生になったとでしょう？」

いやな言い方だ。やっとかっこ。

「その疲れが、ずうっと残っとるとかも知れんねえ。何たって、あんた、三年間も同じ勉強しとったわけでしょうが」

正確には三年以上、いや、四年以上だ。翔人の通っていた高校は、二年生の時から、もう受験態勢に入っていた。たとえば授業中、少しばかり教室内がざわめいただけでも、「ここは、出るぞ」「これが最近の傾向だ」と、教師はすぐに、そんなことをほざいていやがった。すると途端に、教室には鉛筆を走らせる音だけが広がるのだ。さらさら、カツカツ、さらさら、カツカツ。あの音を思い出しただけで、冷や汗が出てきそうな気分になる。遅れるな、落ちこぼれるなと、常に言われ続けていたときのように、心臓がバクバクしてくる。

「ただでさえ都会ちゅうとこは、何から何まで忙《せわ》しくて、こう、何ちゅうか安まる暇のないところでしょうが。受験勉強して、ああ、目が疲れたなあと思ったたって、山ひとつ見えるわけじゃあ、にゃあもんねえ」

翔人は、黙って煙草を吸っていた。そんなに疲れていたんだろうか。確かに、いつでも眠かった気は、する。ずい分、長い間。「やっとかっこ」大学に入ってからも。だから、結局は行く気にならなかったのだろうか。何より、自分より二つも三つも年下の連中に混ざって、何かするなどというのが、馬鹿馬鹿しくてならなかった。だるくてたまらなかった。それに、同じことだけ何年も繰り返してきた頭は、もう新しいことを考えたり学んだり、そういうことを望まなくなっていた。そして、そんな矢先に——。

「あんた、自分で気いつかん？」

「何が？」

「たった一週間で、顔つきが大分、違うちょるよ」

チエは、おもむろに翔人の方に手を伸ばしてきた。丸くて温かい、だが意外にざらざらした感触の乾いた指先が、ふいに翔人の頰に触れた。

「このへんにも、ちっと肉がついたっちゃないとね」

チエの指が、翔人の両頰を挟むようにしてギュ、ギュと軽く抑える。一瞬、心臓が小さく跳ねた。翔人は思わず、その手を振り払った。

「やめろって、もう」

「意外に、やわいとねえ。何、こんくらい。だけど本当、最初はもっと、顎《あご》が尖ったように思ったけんど」

だがピンクエプロンは、翔人の反応などまるで気にもとめない様子で、「ねえ」と笑っている。翔人は、今度は自分で自分の頰のあたりを撫《な》でさすりながらそっぽを向いていた。チエの指の感触が、痺《しび》れたようにいつまでも残っている。少しずつ伸び始めたまばらな髭《ひげ》が、指の腹に触れた。そう言われてみれば、そうだろうか。肉が、ついただろうか。

「帰ってきたばっかりの頃は、あんた、目つきじゃって、こう、何とのう荒《すさ》んだちゅうかねえ、今にして思えば疲れとったっちゃろうけんど、そんな感じやったし」

「すさんだ？」

「――荒んだって、分からん？　あれ、方言だったかいね、荒んだって」

「知らねえけど」

「まあ、何ちゅうかね、やけっぱちみたいな顔ってこと。じゃから、おスマじょうも、いじらしくてたまらんちゃろうねえ」

せめて栄養をつけさせて、たっぷり休ませてやろうと思っているのに違いない。なんとありがたい祖母の愛情ではないか。そんな祖母を持った幸せを感じるべきだ、「いずみ」はしあわせものだと、それからしばらくの間、チエは教師か坊さんのようなことを言い続けた。

「おスマじょうだって、せっかくあんたがおるんじゃったら、病院の送り迎えぐりゃあ、してもらいたいと思っちょるとじゃないかねえ。まあ、車が壊れとるけえ、そりゃあ、しょうがないけんど、それより何より、あんたがいじらしく見えるっちゃが。絶対にそうだわ」

膝《ひざ》を抱えて、ぼんやりと庭先を眺めながら、翔人は、何となく笑い出しそうになっていた。こちらの反応などまるで気にもとめずに、同じリズムで、ただ喋《しゃべ》り続ける女の声を聞くこと自体が久しぶりだ。楽しいというのではない。愉快なはずもなかった。だが、笑うしかないような、取りあえず嵐が過ぎ去るのを待つだけのような、そんな気分が奇妙に懐《なつ》かしい。

――結局は、あんたたちには何一つとして分からないんだわよ。お母さんの気持ちなんか、誰にも。お父さんも、あんたたちも一緒。何のために、こんなに必死になって、すべてを犠牲にしてきたんだか。呆れ果ててものが言えないって、このこと。まったく。あんたたちさえいなければ、お母さんの人生は変わってた。絶対に。こんなことにはならなかった。ああ、あの時、周りの言うことを聞くんだった。お祖母ちゃんだって、お祖父ちゃんだって、ものすごく反対したのに。あんな男と一緒になったって、絶対に幸せになんかなれっこないって言ってたのに。意地になった私も悪かった。でも、だからって、こんなひどいことにならなくたって、いいじゃないのよ。何なのよ、何なのっ、あんたたちの父親っていう男は！

まるでとどまることを知らないかのように、何度となく聞かされ続けていた言葉の数々が、ふいに耳の底で蘇《よみがえ》った。同時に、あの頃の風景までが思い出されてくる。薄暗い台所。割れた食器。飛び散った料理――。

「あれ、みっちゃんも来た」

頭の芯《しん》が鈍く痺れそうになっていたとき、チエが声の調子を変えた。ゴンが、また立ち上がって尻尾を振っている。坂の下から、今日は色の違うエプロンをつけている道代が姿を現した。ここに足繁く姿を現す女のうち、いちばん若くて一人だけ化粧をしている、のっぽで面長な女だ。何よりも、彼女はあの女を思い出させる。翔人を産んだことを「後悔してる」と繰り返すばかりだった、おふくろを。

「そろそろおスマじょうが帰ってくる頃かと思って」

道代もまた、プラスチック製のボールを大事そうに持っていた。そして、縁側の前まで来ると、黙ったまま無表情に翔人の方を見た。その視線が、素早く自分のパジャマに注がれたのを感じて、翔人は反射的に縁側で尻を滑らせ、そのまま立ち上がった。おふくろに似ている道代にまで「まだ着替えないのか」などと言われたら、今度こそ「うるせえ」とか「クソばばあ」とか、怒鳴り返してしまいそうな気がした。

6

それから間もなくして、婆《ばあ》さんは頭のネット包帯が取れた状態で、しかも、レッカー車に乗って帰ってきた。

「トラックを、持ってってもらうことにしたばい」

額に絆創膏《ばんそうこう》を貼《は》っただけになった婆さんは、白髪交じりの短い髪をピョンピョンと立たせて、例によって小猿のような顔でレッカー車から降りてきた。

「動くんなら、また動くようにしてもらって、動かんもんなら、もう処分した方がええけえ」

婆さんに続いて、レッカー車を運転してきた男も車から降りてきた。縁側にいる二人の女と、短い言葉で挨拶《あいさつ》を交わしている。どうやらこの村には、知り合いでないものはいないらしい。まあ、田舎なんていうものは、そんなものなのだろう。普段着に着替えていた翔人は、ズボンのポケットに両手を突っ込んだまま、自分も興味半分に、縁側のサンダルを突っかけて庭に出た。修理屋らしい男は、怪訝《けげん》そうな表情でこちらを見ている。その、好奇に満ちた視線が不快だった。五十がらみに見える男は、婆さんの後について家の脇《わき》の納屋《なや》のような建物に向かいながらも、ちらちらとこちらに目を向けていた。

「とにかく、一旦、工場に持って帰って、見てみないことにゃあ、何とも言えんわの」

「分かっとる分かっとる。とにかく、見てみてくれりゃあ、ええよ」

「どれくりゃあ動かしてねえとやあ」

「お父ちゃんが倒れてからじゃからね」

「お父ちゃんて、ヨシおっちいかい。じゃったら、かれこれもう──」

「五年かのう」

「キーは？　鍵《かぎ》たい。車の」

「ああ、つけっぱなしのはずじゃども」

それまで覗いたこともなかったが、家の脇の小屋は、農機具小屋と、納屋と車庫とを兼ねたようなものだった。やたらと色々なものが詰め込まれており、その中程に、埃《ほこり》だらけの軽トラックが駐められている。作業着の上下を着て、自動車メーカーの帽子を被《かぶ》った修理屋は、顔の前で降りかかる埃を払うような真似《まね》をしながら、そのトラックを眺めていたが、ふいにこちらを振り向いた。サイズの合わない女物のサンダルにつま先だけ引っかけた格好で、肩をすくめて立っていた翔人は、反射的に顎を引いて男を見返した。

「ちょっと、手伝ってくれんかの」

「手伝うって――俺が?」

男は、当たり前ではないかという顔をしている。翔人は「冗談じゃねえ」と言いそうになりながら、ついそっぽを向いた。すると、小屋の脇に立っている婆さんと目が合った。

「ぼう、車の運転、出来るっちゃろ」

「――そりゃあ、出来るけど」

「あった方が、ええじゃろ。なけりゃあ、どこにも出られんとよ」

婆さんはそれだけ言うと、半分澄ましたような顔で、そっぽを向いて行ってしまう。その小さな後ろ姿は、まだ多少、足を引きずっていた。

――なるほど。

必要だと思えば夜の闇に乗じて、婆さんのカブでも隣近所の車でも、何でも盗めば良いと思っていたが、この車が直ってくれれば、何より翔人にとって、都合の良い話に違いなかった。軽トラックというところが多少ダサいとは思うが、こんな場所でぜいたくは言っていられない。それに、うまくすれば寝床の心配もせずに、これで気ままな旅が続けられるかも知れない。

「じゃから、よう、なあ。ちっと、力、貸してくれんや」

途端に愛想良く頷《うなず》いて、前に大きく足を踏み出そうとして、足元がおぼつかないのに気がついた。翔人は小走りに庭を回って玄関先に戻った。

「手伝えるとね」

庭先に並べてある巨大なザルのようなものの間を歩いていた婆さんが、にやりと笑ってこちらを見た。

「当たり前じゃんかよ、それくらい」

さっさと自分のスポーツシューズに履き替えて、再び納屋へ戻る。修理屋は既に軽トラの運転席側のドアを開けて、ギアをいじっていた。

「後ろから、押してくれんや」

言われるままに、ガラクタをまたいでトラックの後ろに回り込んで、埃だらけの車体を押す。少し力を入れただけなのに、軽トラックは拍子抜けするくらいに簡単に移動を始めた。そのまま小屋を出ていくと、婆さんが腰に手を回して、翔人たちのすることを見つめていた。

「ありゃあ、ちゃんと動きよるがあ。ガソリンさえ入れりゃあ、そのまま何とかなるじゃろうかい」

「だめだめ。一度全部、分解せんと。さっき説明したじゃろう？　車検も保険も切れとるけえ、全部、やり直しになっじゃろうって」

婆さんはまだ驚いた顔のままで、不思議そうに「あれそう」などと言っている。

「この荷台のもん、下ろして行かにゃあいかんなあ」

軽トラックが完全に外に出たところで、男が声を上げる。すると婆さんが「ぼう」

とまた翔人を呼んだ。

「荷台に載ってるもん、下ろして」

手の埃を払っていた翔人は、言われるままに、今度は荷台の荷物を下ろし始めた。わら束。木で出来た何かの道具。農機具。はしご。意外に重たい紙袋。それらのものを順番に下ろしていると、修理屋が荷台の反対側に回り込んできた。自分も荷物下ろしを手伝いながら、またちらちらとこちらを見る。

「ばあちゃんが怪我したとこに、居合わせたちゅうのう？」

「――まあ」

「しばらくは、おられるとかい」

「当分の間は、こっちにおられるとかって。まだ学生なっちゃろう?」

陽焼けした顔の、ずんぐりむっくりした男だった。その細い目に見据えられて、翔人はつい視線をそらした。どうも、何か試されているような気がして落ち着かない。ごまかしきれないような気分になる一方で、苛立《いらだ》ちがこみ上げそうになる。この年頃の男は苦手だ。親父くらいの年代の。条件反射的に。

「学生なら、じき、東京に戻るにしたって、そうは急がんじゃろう?」

戻るだろうか。分からない。それにしても、いちいちうるさい男だった。翔人は小さく舌打ちをして荒々しく息を吐き出した。こんな見も知らぬ、ただの田舎の修理屋に、根ほり葉ほり聞かれる筋合いはない。

「せめて、これが直るまでは、おってやれよ。そうじゃにゃあと、何のために修理すっとか、分からんなっじゃろう」

翔人は、ちらりと婆さんの方を見て、また修理屋を見返した。

「噂《うわさ》は、ほんしょうじゃったな」

「噂?」

修理屋は、にやりと笑った。

「え——」

「で、元気かい。豊昭は」

「とよあき？」

今度は、男は当然だというように頷く。

「お前、豊昭ん子じゃろうが」

「とよあきん――」

「じゃろう？　だって、東京ちゅうと、豊昭だ。確か、誠司は大阪じゃし、靖代は札幌のまんまのはずじゃもんな？　そうすりゃあ当然、豊昭じゃ」

なるほど。そういうことか。要するに婆さんの息子が豊昭。翔人は、その豊昭の息子だと思われているのだ。そして豊昭には誠司と靖代という兄姉がいる。

男がさらに身を乗り出してきて「あんまり――」と言いかけたとき、婆さんがすっと近づいてきた。

「いらんことばっかり喋っとらんで、さっさと持って行ったらどうかい」

男は一瞬、何か言い返したそうな顔になったが、「へへへ」とごまかす笑みを浮かべると、手際《てぎわ》よく軽トラックをジャッキアップして、前輪の下にレッカー車の装置をもぐりこませた。そして、ものの二、三分もかけずに、埃だらけの軽トラックを引っ張って、行ってしまった。

「さ、昼飯にしよ、昼飯に」

婆さんはそそくさと家に入っていく。縁側に座っていたチエと道代とが、揃って腰を上げた。

「おスマじょう、車、直すと？」

　二人はどこか心配そうな顔で、とうに見えなくなったレッカー車の方と翔人とを見比べるようにしている。婆さんは、それにも答えずに、「えっこらせ」と言いながら、家に上がり込んでいった。

「下の方は、そろそろ平家祭りのことばっかりになってきよったなあ」

　当然のように二人の女を交えて始まった昼食のときに、婆さんが口を開いた。今日、チエはヤマメの煮付けを持ってきており、道代はこの辺りで「菜豆腐」と呼ばれている、野菜の混ざった豆腐を持ってきていた。翔人は、子どもの頃から豆腐は好きではなかったが、この菜豆腐は気に入っている。これまで食べてきた、味も歯ごたえもない中途半端なプリンのようなものと、同じ豆腐とは思えないくらい、しっかりと歯ごたえがあって、何より旨《うま》い。

「今年の鶴富《つるとみ》姫は誰じゃったかのう」

「さあ。誰ちゅうたかね。聞いたけんど、忘れてしもうた」

「去年の子は、ありゃあ、可愛《かわい》かったねえ」

「私が若けりゃあ、選ばれよったとに」

チエが真顔で言うと、婆さんは「おうおう」と言うように頷き、道代は箸《はし》でチエを指すようにしながら、ひっくり返るほどに笑っている。

「平家祭りって?」

腹に一杯の子をもったヤマメは、旨いことは旨いのだが骨があるのが難点だ。大体、翔人は昔から魚が好きではない。でかい切り身ならともかく、骨のついているのは面倒でたまらないからだ。だが、このヤマメの煮付けに関しては、面倒なら骨まで食えてしまうから、あまり気にしないようにしている。

そのヤマメにかじりつきながら質問すると、三人の女は一斉にこちらを向いて、また互いに顔を見合わせている。ふう、と婆さんがそっぽを向いて小さくため息をついた。道代が、半ば非難するような顔つきで「あんた」とこちらを見た。

「そんなことも、聞いとらんと」

「そんなことって――」

「豊昭は一体、あんたに何を教えてきたっちゃろうかね」

「父親なら、自分の子に教えるもんじゃろうがね。自分の出身はどんな場所で、どう

「どこの家の父親じゃって、そんげなこと、話すもんじゃにゃあと。どんな都会に住んじょったって、もともとは田舎があって、先祖はどんな人たちじゃって」

まるで、待ってましたと言わんばかりに、チエと道代がものすごい勢いで喋り始めた。翔人は、ヤマメの頭をゆっくりと噛《か》みしめながら、果たして自分は親父からそんな話を聞いたことがあっただろうかと考えていた。確かに、出身は知っている。だが、血筋がどうの、先祖がどうのなどという話は、聞いた記憶がなかった。

「子どもの方じゃって、そんげなこと聞くもんじゃろう？　自分のそんげなことに、興味ないと？　ええ？」

「――ないっていうか」

ヤマメの頭が歯の間で粉々になっていく。甘辛い味と、砕けていく骨の食感を確かめながら、翔人は一点を見つめていた。

「うちは――親父は、ほとんど家にいたことなかったし。いても、話なんか、しなかったし」

「それだって――」

「とっくに、離婚したし」

言ってしまってから、はっとなった。慌《あわ》てて周囲を見回すと、三人の女たちも、それぞれに動きを止めてこちらを見つめていた。いけねえ。自分の家の話をしてどうするんだ、と慌てて言い訳を考えようとしたとき、婆《ばあ》さんが、ふん、と小さく鼻を鳴らしてそっぽを向いた。道代とチエとが、黙ったまま互いに肘《ひじ》で突き合うような真似をしている。

「あ——そういうことじゃったと」

「なんだ——ぜんぜん、知らんかった」

奇妙な沈黙が広がった。翔人は大きな茶碗《ちゃわん》で飯をかき込みながら、婆さんが口を開くのを待っていた。本当のことを言ってもらったって、べつに構わないのだ。それは、この子の話でしょうが。うちの豊昭とは何の関係もない。だって、この子は豊昭の子でも何でもないんだからね。ただの居候《いそうろう》。勝手に住みついてるだけ、名前だって本当かどうか。これまで、何をやってきてる者かだって、分かったものじゃないんだから——そのまま話が膨らんで、何を言われたって、平気だった。キレる準備はいつだって出来ている。いざとなったら、こんなババアの二人や三人、殴りつけようが何をしようが、構わない。そうなれば、最後に自分の身の不運を嘆くことになるのは、女たちの方だ。

「――平家祭り、ちゅうとは」

だが婆さんは、もぐもぐと口を動かしながら、当たり前のように話し始めた。

「十一月の最初の方にある、この村の祭り。大勢の人が集まってきおってね、行列やら何やら、やってのう」

自分の中で急速に盛り上がりそうになっていたエネルギーが、すうっと萎《しぼ》んでいくのを感じながら、翔人は半ば拍子抜けした気分で、婆さんを見ていた。婆さんも、ゆっくりとこちらを見つめ返してくる。

「なんぼなんでも、ぼうだって、知っとるじゃろう。源氏と平家って」

「――それくらい、知ってるよ。俺、受験は日本史だったんだから」

「壇ノ浦で、平家は源氏に滅ぼされたっちゅうことになっとるじゃろ」

今度はチエが喋り始めた。イイヤ、ゴメンジャスマヌと壇ノ浦。一一八五年だ。こんなときに、受験勉強で繰り返し暗記していた語呂合わせを思い出すとは思わなかった。何の意味もないと思っていた言葉を。

「けんど、平家も、一人残らず殺されたわけじゃにゃあて、逃げ出した人もおってね。源氏方は、ものすごく厳しい追っ手じゃったちゅう話じゃけんど、とにかく逃げ延びて、もう人里離れた山奥の、鳥も通わんようなところにね、隠れ住んだわけ。こん村はもともと、その、平家のお侍たちがたどり着いた場所ちゅうことに、なっとるわけ」

「――へ？」

つまり、どういうことなのかが、良く分からない。日本史の話を聞いていたと思ったのに、どうしてそれが急に、今の、この村の話につながるのだ。

「じゃからこん村は、平家の落人部落《おちうどぶらく》ち、いわれとるとよ」

「おちうど」

「落ちのびた人のこと。落ちる、人と書いて、落人」

あ、それも聞いたことがある、と翔人は小さく呟《つぶや》いた。頭の中で時代が行ったり来たりしそうだ。

「こん村は、こげん山の奥にあるじゃろう。ここなら源氏の追っ手にも見つからんちゅうことで、落人たちは、刀も槍《やり》も捨てて、皆で畑を耕して、ひっそりと隠れて暮らしとったちゅう」

だが、源氏による落人狩りは熾烈《しれつ》を極め、ついにこの村にも討伐軍がやってきた。その大将が、舟の上の扇を射落としたことで有名な那須与一《なすのよいち》の弟にあたる、那須大八郎である。ところが、軍勢を引きつれてやってきた大八郎が見た椎葉の落人の暮らしは、かつての平家の人々の栄耀《えいよう》栄華ぶりからは想像もつかないほどに貧しく、みすぼらしく、また厳しいものであった。戦意などとうに捨て去り、ひたすら日々の暮らしに追われている彼らを見て、今さら討ち果たす必要もないと判断した大八郎は、幕府には討伐したという嘘《うそ》の報告を送り、自分はこの地にとどまって、逆に落人たちに力添えをしたのだという。

「当時こん村には、平家の末裔《まつえい》にあたる鶴富姫ちゅう姫さまがおってね、そこで那須大八郎は、その姫様と、出会うたわけ」

そこから平家の姫様と、源氏の若大将との恋物語が始まる。それが、この村に残る伝説だということだった。話の最後には、那須大八郎は幕府に呼び戻されて村を出て行き、残された鶴富姫は、二人の間に出来た子どもを産み育てて生きていったとさ、という結末だそうだ。つまり、この村の人々は、平家の落人か源氏方の人間、またはその両方を先祖として持つ人々が受け継いできた村だということらしい。

「日本中でも珍しいちゅうて聞いたよ。平家の落人部落ちゅうのは、この近くでも他にもあるけえ、色々と話には聞くけんど、源氏がやってきて、そんで戦にもならずに、仲良く暮らしましたちゅうのは、ここだけじゃって」

チエが笑いながら言った。

だから、この村には那須という姓と、先にこの地に根づいて暮らしてきた平家筋の人々が、近くの山の名からとった椎葉という姓が圧倒的に多いのだと説明される間、翔人はひたすら口をぽかんと開けて、感心しきっていた。イイクニつくろう鎌倉幕府。源頼朝が幕府を開いたのは一一九二年のことだ。つまり——かれこれ八百年以上も前から、この村には人が暮らしていて、しかも、平家と源氏などという伝説が残っているというのか。

「まじ？　すっげえ話じゃんよ、それって」

やっと口に出来たのはそんな感想だった。要するに、ここにいる三人の女たちは、それぞれに源氏か平家の末裔ということなのだろうか。ただの田舎の婆さんにしか見えないのに。

「そんげんこと、知っとってもええじゃろうが、ねえ？」

「じゃから、あんたも、自分の中に、そんげなもんが流れちょるってこと」

チエと道代は、どこか諭すような、誇らしげな表情で言うから、翔人もつい、その気になった。

「つまりは、俺も源氏か平家かも知れねえんだってこと？　へえ、すげえ」

頭の片隅では、そんなはずがないことは、十分に分かっているつもりだった。翔人はこの村とも、婆さんの血筋とも、何の関係もありはしない。

「その、鶴富姫と那須大八郎とをしのんで開かれとるのが、平家祭り」

祭りは三日間にわたって開かれる。まずは十二単《じゆうにひとえ》姿の鶴富姫と武者姿の那須大八郎とが再会するところから始まり、村のほぼ中心に位置する鶴富屋敷とその周辺などで、武者行列や様々なパレードなどの催しが開かれるものだという。

「賑《にぎ》やかなもんじゃが。何せ、普段は四千人おるかおらんかの村に、何万人と集まってくるげな」

「何万人も？」

「すごいじゃろうが」

「確かに、すげえわ、そりゃあ」

実をいうと、翔人は「祭り」と名のつくものをじかに見た記憶がない。テレビなどで大きな祭りの場面を見たことはあるし、地域によっては、商店街などで御輿《みこし》を担《かつ》ぎ出すような祭りもあることぐらいは知っているが、翔人の住んでいた町には、そんなものはなかった。極めてしみったれた、小さな子供会の夏祭りとかいうのがあった気もするが、誰も見向きもしなかった。要するに、本当に祭りらしい祭りというものの中に身を置いたことはなかった。

「もうそろそろ、婦人会で出すもんのことを考えんとねえ」

「出すっちゅうてもせいぜい、干しシイタケくらいじゃろう」

「少しは手のかかったもんが、ええっちゃないかって言われたども。村おこしのグループとかとも相談してちゅうて」

チエたちが、また何やらわけの分からない話を始めた。翔人は、ただ紙の上で習っただけの源氏とか平家とかいう言葉が、こんな婆さんたちの口から出てきたということに、いつまでも驚いていた。この国には、確かにそういう時代があったのか。おとぎ話や単なる伝説でなく、本当に、あんな時代から生き続けている人々がいるのかと思うと、何とも不思議な気分になる。

——平家祭り、か。

イイムナゲの平清盛。一一六七年、平清盛が太政大臣《だじょう》に。ああ、受験勉強で丸暗記したことはしたものの、何の役に立つとも思えなかった年号が、不思議なくらいにすらすら思い出される。「日本史」のことなど、受験が終わった段階で、すべて忘れ去ったと思っていたのに。

——見れっかな。

道代が喋っている間、翔人は何気なく、婆さんの顔色をうかがっていた。婆さんはチエたちの話を聞きながら、黙って飯を食い、黙って味噌汁をすすっていた。

7

おばさん二人が戻っていくと、家は静寂に戻る。例によって満ち足りた腹を持て余すように、その場にごろりと寝転んで、翔人はテレビを見ていた。何しろ、チャンネルが少ないのだから、ある意味で迷う必要がない。

「ばあちゃん」

肘枕《ひじまくら》をしたまま、翔人は台所に向かって声を張り上げた。

「ここん家は、どっちなんだよ。源氏と、平家」

どっちみち八百年以上も続いている家柄なのかと思うと、こちらの見る目まで少し変わってきそうだ。

「だとするとさ、物置から鎧《よろい》甲《かぶと》とか、出てきちゃったりするわけ？　刀とか、槍とかさあ」

そんなものが残っていたら立派なお宝だ。『鑑定団』に出せば、ひと儲《もう》けできるかも知れない。そうだ。現金でなくとも、そんなものが見つかるのでも良いかも知れない。どうする。とんでもないお宝があったら。途端に愉快な気分になってくる。

「なあ、探してみたこととか、ある？　あったら、俺、見てみてえんだけどな。なあ、ばあちゃん」

いくら話しかけても返事が聞かれない。寝転んだまま首を回して、台所の方を見てみた。すると流しの前で、婆さんが、小さく丸まっているのが視界に入った。

「――ばあちゃん？」

今度は腹這《はらば》いになりながら、改めて婆さんの方を見る。丸まっていると思った婆さんは、実はうずくまって足を押さえていた。ただでさえ小さな身体《からだ》が一層、縮こまって見える。翔人は思わず身体を起こした。

「痛いのか？　足？」

片時も休まずに働いている婆さんだが、実は、夜になって家の中を移動するときなどに、時折呻《うめ》くような声を出すことを、翔人は知っていた。こたつに入っているときにも足をさすっているし、台所や廊下の片隅で、足に手を当てててため息をついていることもあった。そんなときには、呪文《じゅもん》だか念仏だか分からない言葉をブツブツと口の中で繰り返している。

「ばあちゃん！」

つい起き上がって台所まで行くと、婆さんは、目をぎゅっとつぶったまま、やはり口の中でブツブツと何か言っていた。

「どうしたんだよ、なあ、ばあちゃんてば」

「どうもせんて。ちょこっと、打ったと。そこんとこで」

婆さんのシワシワの手が、すぐ脇《わき》の瓶を指した。呻くような声が何かを繰り返している。

「怪我したとこか？　大丈夫かよ」

「おお、痛いぃ。おお、痛いぃ」

婆さんは繰り返していたが、やがて、ほとんど腰を伸ばさない姿勢のままで茶の間まで戻ると、こたつにもぐり込んだ。口の中ではまだ何か言い続けている。

「いつもさ、何、言ってんだよ」

「何え」

「ブツブツ、言ってんじゃん」

「トナエ」

「トナエ？」

「何や知らん。昔から、こげんときゃあ、こげんことをば言うとると」

ああ、やれやれ、と言いながら、婆さんはこたつの天板に顎《あご》がのるくらいに背中を丸めている。ごそごそと衣擦《きぬず》れの音がするから、まだ足をさすっているのだろう。

「それってさ、平家の時代からあるもん?」

「なんで」

「だって、ここん家は椎葉っていうんだろう? だったら、平家なんじゃねえの? さっきの話からすると」

婆さんは、ちろりとこちらを見て、それから奇妙に口元を歪《ゆが》めながら「そげんこと」と呟いた。

「知らん」

「なんで」

「今さら、どっちだってええことじゃろうが。平家じゃろうが、源氏じゃろうが。これから合戦をするちゅうわけでもにゃあけえ」

「そうだけど——だけどよう、すげえじゃん、何となく。武士だったわけだろう? それで、ずっと今まで続いてるわけだよな? 何か、カッコイイじゃねえかよ、そういうの」

婆さんはそっぽを向いたまま、くしゃりと顔をしかめた。

「カッコイイも何も、今は、ただん山奥の百姓じゃろうが」

「そうかも、知んねえけどさ。でも、物置でも探せば、何か出てくるとか」

婆さんは、今度はべえっと舌を出す。

「いくら古い家ちゅうても、そんげ昔から建っとるわけが、なかろうが」

「――そうかな」

「そんげ古い家なら、家ごと国宝にでん何でん、なっとって、こんな呑気《のんき》に、こたつになんか入っとられん。鶴富屋敷せえか、そうじゃけえ」

なるほど。そう言われてみれば、確かにそうかも知れなかった。すると、お宝は夢か。何だ、つまらねえ。

「ぼうだって、ずっとたどっていきゃあ、どっかの偉い人んとこまで、いくんじゃにゃあかね」

つい落胆しかかっていた翔人は、「俺？」と自分を指さし、その指先を見つめながら、さらに口元を歪めた。

「俺なんか――ろくなもんじゃ、ねえよ」

「そうお？」

「そうだって。親からして、ろくなもんじゃねえんだから」

「自分の親に向かって」

「まじ、まじ。きっと、その親だって、そのまた親だって、ずっとろくなもんじゃねえんだ」

「――豊昭ん子も、そんげなこと、思うとるかも知れんなあ」

婆さんが、ぽつりと呟《つぶや》いた。それから、こたつの上に置きっぱなしにしてあった煙草《たばこ》に手を伸ばす。乾いた皺《しわ》だらけの手が、煙草を一本つまみだして口元に運ぶのを、翔人は意外な思いで見つめていた。

「ばあちゃん、煙草、吸うの」

「なんで」

「だって――」

「婆が煙草吸ったら、悪いかの」

片手で煙草を支えながら、婆さんは「火」と顔を突き出してきた。翔人は急いで自分のライターを取り出した。

「だってさ――」

「まあ、仏壇に置いてあるけえ、お供えもんかと思うとったと」

ふう、と旨そうに煙を吐き出し、婆さんはこちらを見る。

「そげえな意味もあるけんど、なれど、死んだ人にだけ、あげたって、しょうがなかろうが。人間ちゅうのは、生きてるうちが花じゃけえ」

もう一度、ふう、と煙を吐き出して、婆さんは小さく笑った。

「豊昭も、離婚したとよ」

「ああ、ええと――俺の親父だと思われてる人、だよね。ばあちゃんの、息子」

「歳《とし》いってからのね、恥かきっ子ちゅうか、末っ子」

「いくつ」

「さあ。もうそろそろ、五十ぐれえかの」

末っ子が、そんな歳なのか、と驚いた。一体、この婆さんはいくつなのだろう。そういえば確か、ここに着いた日に、チエたちが婆さんはもうすぐ何とかだと言っていたと思うが、何と言っていたか忘れてしまった。

「いつ、離婚したの」

「さあねえ。もう大分、たつかの」

「じゃあさ、その豊昭に、子どもとかは」

「おるじゃろ、そりゃあ」

「――会ってないの」

「小さかった頃はな、やれ入学式とか何とかちゅうて、写真は何枚か、送ってきたことありよったどもねえ」

翔人も婆さんの煙草に手を伸ばした。

「何人」

「ふたあり。なんぼになるんだかねえ。昔は数えとったけど、もう分からんごとなったばい」

茶の間に、二人分の煙が広がった。偶然にせよ、婆さんの息子も離婚していた。そして、婆さんは二人の孫に会ったことがないという。その辺りは、確かに翔人の身の上と似ているかも知れなかった。翔人も、祖父母の存在など、感じたこともないままに育った。無論、いることは知っている。小さい頃には、何度か会ったこともあるはずだ。赤ん坊の翔人を囲む大人たち。そんな写真を見たことがある。だが実際には、何も覚えていない。

おふくろは、親父の両親を、ほとんど呪《のろ》っているに近かった。

——最低最悪の人間。何様のつもりなんだか。薄情で、ケチで、下品で、無能で、教養も何もないくせに、偉ぶりやがって。だから、あんな息子になったんだ。ゲス。恥知らず。打算的で、汚《けが》らわしい。そのくせ成金趣味。ああ、考えただけで虫酸《むしず》が走る。自分たちの孫が幼稚園に入ったたって、学校に上がったたって、お祝い一つ送ってきたこともないような連中じゃないのさ。

今でもよく覚えている。おふくろはいつだって、指を折りながら親父の両親の悪口を言った。その欠点は、いくつ数え上げてもきりがない様子だった。そして、怒りに燃えた眼差しで、翔人や弟のことも睨《にら》みつけたものだ。いい？ 要するに、あんたたちには、そういう血が流れてるってことなんだからね。よおっく、覚えておくのよ。それが、あんたたちの父親の、伊豆見家の血筋なんだから。もう、最低の血筋。

そういえば一度、翔人は尋ねたことがある。まだガキの頃、小学校の低学年くらいだったかも知れない。ねえ、お母さん、ほとんど会ったこともない人の悪口を、どうしてそんなにいっぱい言い続けられるの。

あの時の、おふくろの逆上ぶりは大変なものだった。ハンパではなかった。生意気なことを言ってんじゃないの、と、おふくろは翔人を殴った。何が違っていたのか、それまでの怒り方とは比較にならなかった。翔人は恐怖に縮み上がった。だからこそ、強烈に覚えているのだ。

「さ、仕事仕事。油売ってる時間はないたい」

ふいに婆さんが立ち上がった。その後ろ姿を見送って、翔人は再びごろりと横になった。やがて、カラカラ、と玄関の音がして、縁側の外を、婆さんの小さな影が移動していった。カブのエンジン音が小さくなる。そして、辺りは静かになった。柱時計の音が、かっこん、かっこん、と響く。

——血筋。

確かに、競馬馬だって血統を重んじるわけだし、犬っころにしても、血統書がついていると高く売れると聞いたことがある。だとしたら人間が、その血筋によって大きく左右されるのは、仕方のない、いや当然のことなのだろうか。翔人の中にはろくでなしの血が流れているらしい。だから、ろくでなしとしてしか生きられないということか。この村の連中には、源氏や平家の血が流れている。だから——だから、どうなるのだろう？

——侍っぽくなるのか？

どうも、よく分からない。たとえ源平の血を引いていたって、今も憎みあっているというわけではない。むしろ、その逆らしい。それに、ろくでなしの翔人の血筋と同様に、婆さんの息子も離婚したと言っていた。さっきの話しぶりでは、婆さんは、自分の孫に会ったことがない様子だった。すると、息子の女房だった女は、子どもたちに婆さんの悪口を言っていたのだろうか。翔人のおふくろのように。

考えているうちに、婆さんが少し可哀想《かわいそう》になった。ろくでなしとか、最低とか、もしもそんなふうに言われていたら、会ったことのない子どもなら簡単に信じてしまうに違いない。翔人がそうだったように。本当は誤解かも知れないのに。ただの作り話、単なる嘘《うそ》かも知れないのに。息子だって腹立たしくなるはずだ。自分の親が、そんなふうに言われていると分かったら、怒りたくなるのが当然だろう。

——だから、か。

だから親父も、よくおふくろを怒鳴りつけていたのだろうか。殴っていたのだろうか。滅多に家に帰ってもこなかったが、たまにいると思えば、いつでも酔っぱらっていて、そして、最後にはいつも喧嘩《けんか》だった。

——だったら、お前の親は、どうなんだ。お前に、どんな教育をしてきたんだっ！

ああ、だめだ。どうしてこんなことばかり思い出してしまうのだろう。ずっと忘れてきたつもりなのに。もう自分とは関係のないこととして、一切合切、ドブに捨てたつもりの思い出なのに。

半身をこたつにもぐり込ませたまま、翔人は頭を抱えて身体を丸めた。まるで、自分がほんの幼い頃に戻ったような、心細くて頼りない気分に襲われる。既に、この世のどこを探しても見つかるはずのない、四人家族の住まいが思い浮かんだ。靴が溢《あふ》れた玄関。下駄箱の上にかけられた絵皿。いつも斜めになっていた玄関マット。はきつぶしたスリッパ。学校から帰ってきて、マンションの通路に立っただけで、翔人は自分の中から空気が抜けていくように感じたものだ。外でいくら楽しく遊んできたとしても、家の前まで帰ってくると、どんな気持ちも台無しになった。家の中には、いつも独特の、どろりとした空気が漂っているように感じられた。

「おスマじょう、おっと」

ふいに縁側の戸が開いた。驚いて身体を起こすと、これまでに見たことのない爺《じい》さんが立っている。日焼けした顔に深い皺を何本も刻み、その皺に囲まれた丸い目をパチパチとさせて、爺さんは「おっ」と小さな声を上げた。

「起こしたかい。そりゃあ、悪かとな」

翔人は、曖昧《あいまい》に頭をかきながら口の中だけで返事をした。

「おスマじょうは？」

「あ——畑だと思います」

こたつから身体を出して、縁側の方に向き直る。爺さんも、「ふうん」と言いながら縁側に腰を下ろした。

「よう働くばっきいじゃのう」

Yonda? CLUBが新しくなりま

新潮文庫の100冊キーホルダーに続き、

リサ・ラーソンが陶器製 Yonda?君を制作中!!

Lisa Larson

世界中の多くの人々に愛されている、
スウェーデンの陶芸作家リサ・ラーソン。
代表作品は「ライオン」など多数。
80歳の今も積極的に活動しています。

定番ブックカバーがめちゃめちゃ便利でモダンな仕様に!!

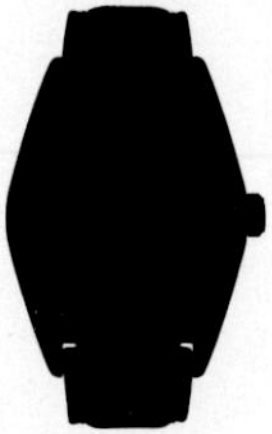

文豪ウォッチが斬新なデザインで復活するかも!?

New

100%ORANGEも大奮闘中。お待ちかね、Yonda?君の新作も登場?

その他、モダンなグッズが盛りだくさん! 大人気のマグカップも新デザインで登場!!

「はあ」

「で、あんたは留守番かい」

「そういうわけでもないけど」

「茶を一杯、淹《い》れてくれんね」

嫌だと言う理由もなかった。翔人はのろのろと立ち上がって、急須《きゅうす》や湯呑《ゆの》み茶碗《ぢゃわん》を用意した。最初にこの家に来たときから、それらの場所だけは早々と教え込まれたのだから、戸惑うこともない。それらを盆にのせて縁側まで出ると、爺さんの姿が見えない。どうしたのかと思って庭を眺め回したら、さっきの爺さんが、隅の方で立ち小便をしていた。

――何だ、ありゃあ。

人の家の庭先で、しかも広々とした山並みを眺めながら、爺さんはのんびりと放尿している。翔人は、思わず呆気《あっけ》にとられて、その後ろ姿を眺めていた。何という図々しさだ。非常識ではないのか。そんな思いが頭を過《よぎ》らなかったわけではない。だが、爺さんの後ろ姿は、あまりに自然だった。気持ち良さそうだった。何となく、うらやましくなる姿だった。

用を足すと、爺さんはズボンのファスナーを上げながらこちらに戻ってくる。そして、手を洗うわけでもなく、また「おっ」と言いながら、茶碗に手を伸ばした。翔人は思わず顔をしかめながら、爺さんを見ていた。茶をひと口すすり、「はあ」と息を吐き出して、爺さんは改めてこっちを向いた。

「祭りが近くなったろう」

翔人は小さく頷《うなず》いた。

「今年もえらい人出になるじゃろうなあ。ああいうもんは、いっぺん有名になったら、どんどん人が集まるようになるもんらしいけえ」

「——何万人も、来るだろうって」

「何万人も？　へえっ、何万人も」

爺さんは本気で驚いたように目を丸くしている。

「こん村の人口、あんた、知っとるかい」

「人口？」

「じゃあ、普段、あんたの住んでる町の人口は？」

「——さあ」

「さあって。そんげなことも知らんとかい。不思議な子じゃな。どこやあ」

「え、埼玉の——さいたま市」

「さいたま？　大都会じゃの」

「まあ――」

ずず、と茶をすすり、また「はあ」と息を吐き出して、爺さんは遠くを見る。

「こん村は、面積は広いとぞ。香川県の三分の一ある」

また馴染《なじ》みのない県名が出てきた。香川ってどこだ。まるで思い浮かびもしない。

だが爺さんは、こちらの反応などおかまいなしに「てえしたもんだわなあ」と言葉を続けた。

「一つの村だけで、一つの県の三分の一の広さを持っとるとじゃけえ、そりゃあ、すごいわ」

そう言われてみれば、そんな気もした。さいたま市だって、浦和・大宮・与野の三市が合併して出来た巨大な市だが、埼玉県全体から見た場合、三分の一もの面積は持っていないはずだ。

「そんげな広さに、四千人」

「――へ？」

「それぐりゃあの広さに、四千人そこそこが、住んどるばい。いんにゃ、もう四千人より欠けたとか、ゆうとったかも知れん」

四千人。

そういえば、さっきもチエがその数字を口にしていた。多いのか、少ないのか分からない数字だ。

四千人。

待てよ。確か、東京ドームだって満員の時には五万五千人とか言っていたはずだ。前に一度だけ、アイドルのコンサートを観に日本武道館に行ったときには、一万四、五千人が入っていると聞いた記憶もある。つまり、この村には東京ドームどころか、日本武道館すら一杯に出来ない程度の人しか住んでいないということか。

「――少ねえ」

「まったくじゃ。昔は、そんなんじゃなかったどもな」

待ち構えていたように爺さんが応《こた》える。どこかの県の三分の一の広さに、四千人。それなら、民家でも人通りでも、疎《まば》らなのが当たり前だった。

「そういう村に、何万人も来るわけたい」

「ああ、祭りで？」

「じゃからかの。ちったぁ、気合いをば入れてもらわんならんちゅうて。はっぱ、かけられたとよ」

爺さんは、今度は煙草《たばこ》を吸い始めた。唇をフィルターから離すときに、小さく「ぱっ」と音がする。そして、一瞬の間の後で「ふうっ」と煙を吐き出した。茶を飲むのでも、煙草を吸うのでも、何かしらの音を立てる人なのだろうか。

「でなあ、ぼう」

ぱっ、ふうっ。爺さんがこちらを見る。

「おめえ、暇にしちょるって？」

「俺？　暇っていうか――」

「日がな一日《いちんち》、ごろごろしちょる、ばっかりなんじゃろうが」

ぱっ、ふうっ。翔人は、爺さんの脇《わき》にあぐらをかいて、思わず口を尖《とが》らせた。何をしようと勝手ではないか。ついさっき会ったばかりの年寄りに、そんなことを言われる筋合いはない。

「ええ若えもんが、そんなんで毎日過ごして、どぎゃんすっと」

「どぎゃんすっとったって――」

「することが、見つからんとかい」

ぱっ、ふうっ。爺さんは、わずかに目元を細めてこちらを見ている。

「わしの手伝い、せんか」

「――爺ちゃんの？　何を？」

「山に入って、色んなこと」

「色んなこと――」

「さっきも言ったじゃろう？　こん村は、もう人が少ねえ。その上、もう年寄りばっかりじゃ。じゃけえ、手伝いが欲しいんじゃ」

普段の生活は、自分たちで自分たちのことをしていれば良いだけだから、どうということもない。だが、祭りのように外から大勢の人がやってくる場合には、食料でも土産物でも、いつもよりずっと多く用意しなければならない。それには人手が足りないのだと爺さんは言った。

「要するに、バイトか」

翔人は、自分も煙草に火をつけながら、ぼんやりと庭を見た。爺さんは、この翔人に働けと言っているのだ。何となく、ダルい話だった。自慢ではないが、翔人はこれまで一度として、まともに金を稼いだことはない。いや、アルバイトでもしてみようかと思い立ったことぐらいは何度かあるし、実際に行動を起こしたこともあるのだが、いずれも一日でやめてしまった。面白くないし、時間は長いし、第一、疲れるのだ。こんな思いまでして丸一日働いて、一万円にもならないのかと思ったら、馬鹿馬鹿しくてやっていられなかった。

「時給いくら?」

試しに聞いてみると、爺さんは目を丸くして「時給?」と聞き返してきた。

「時給って何だ」

「だから、一時間、いくら払うのかって聞いてんの」

ぱっ、ふうっ。

「わしは、そんげなもん、払わんばい」

あまりにもあっさりした返事だった。翔人は、呆気にとられて爺さんを見た。このジジイ、人をただでこき使おうというのだろうか。一体、どういう根性をしているのだと思った。

「金なんか、払えん。ただし、の」

山に入って採ってきたものは、相応に翔人にも分け与えてくれるという。そして、翔人はそれを「平家祭り」のときに売れば良いだろう、というのが爺さんの提案だった。要するに、爺さんから金をもらうのではなく、自分の取り分は自分で売れということだ。

「自分で、ねえ」

「そこが大切なとじゃ。商工会の方からも、老人クラブの方からも言われちょって、とにかく土産物として売るもんを出すようにちゅうことじゃけえ」

「その儲《もう》けは、俺のもんにして、いいわけ？」

「そりゃあ、おめえの取り分を、おめえが売るっちゃけえのう」

悪い話ではないような気がしてきた。第一、やはり現金が欲しい。たとえば軽トラが直ってきて、移動の手段が出来たとしたって、やはり現金がなければ、この村を後にしてすぐに困ることになる。

「どうか。手伝わんか」

「いつから？」

「明日から」

「いつまで？」

「祭りの前までじゃから、十日間か」

「――十日働いて、いくらくらいの儲けになるのかな」

「そりゃあ、おめえ次第じゃわなあ。元手はかからんちゃけえ、上手に売りゃあ、それなりの金になる」

何となく面白そうだ。何よりも、元手がかからないというのが良かった。

「——ところで、爺ちゃん、誰さん?」

ぱっ、ふうっ。

フィルター近くまで吸った煙草を、ぽとりと足元に落として、爺さんはゴム長靴の底で、吸い殻をキュッキュッと踏みつけた。

「わしは、那須茂忠《しげただ》ちゅうてな、そこの尾根を一つ越えたとこのもんじゃ。この辺のもんは、皆、シゲ、シゲち呼ぶけどな」

「那須?じゃあ、源氏か」

踏みにじった吸い殻を、よいしょ、と腰を屈《かが》めて拾い上げながら、爺さんは「源氏?」と言って、それから「ああ」と、にんまりと笑った。

「まあ、こん村はそんげと言われちょる村じゃからのう。そう言われてみりゃあ、そうかも知れんたい」

ふふん、と笑い、それからぺっと地面につばを吐いて、シゲ爺は、それでは明日から早速、手伝ってもらおうか、と言った。早朝、家の外まで車で迎えに来るから、昼飯だけ持って、待っていろという話だった。

8

ガタガタと音がしていたと思ったら、瞼《まぶた》の向こうがぱっと明るくなり、冷たい風が鼻先をかすめた。ほとんど無意識に近い状態で、布団を顔の上まで引っ張り上げようとすると、それだけで肩や二の腕に痛みが走った。

「起きんか、おい」

頭の上から声が降ってくる。反射的に、つぶったままの目元に力が入った。

「何度も同じこと言わすんなっ。ほら、起きんか！」

嫌だ。絶対に起きたくない。その意思表示をするには、どうしたら良いのだろう。だが、頭がまるで働かない。とにかく嫌だということだけが分かる。

「ほらって！」

再び声がしたかと思ったら、ぱっと布団がはぎ取られた。

「うるせえなっ！」

思わず怒鳴り声を上げ、しかめ面《つら》のまま目を開けて、翔人はその場で凍りついた。シゲ爺《じい》が、鉄砲を構えて立っているのだ。

「な──何、すんだよ」

「いいから、早う起きんか」

爺さんはにんまりと笑っている。ほとんど小便をちびるほど驚いて、翔人は布団から跳ね起きた。だが、身体《からだ》が痛くて思うように動けない。寝ぼけている場合ではないとは思うのだが、全身の至るところが固まっているように感じられた。

「こんぐれえのことで、縮み上がってて、どうすると。ほれ、待っちょるから、早うせんか」

それだけ言うと、爺さんは構えていたものを下ろした。一瞬、鉄砲に見えたものは、改めて見れば単なる箒《ほうき》の柄だったことに、そこでようやく気がついた。途端に、背中からへなへなと力が抜けていく。翔人は、中腰でズボンに片足を突っ込んだまま、にんまりと笑いながら部屋を出て行くシゲ爺を見送った。

──ちっくしょう。

何だって、あんなものが鉄砲に見えたのだろうか。いや、分からないではない。昨日、シゲ爺から猟の話を聞かされたからだ。寒くなったら、猟に出ると。シカや兎、時にはイノシシを獲《と》ると。その時の狙《ねら》いの定め方や、日頃から怠らない鉄砲の手入れの話などが、印象的だった。夜、布団に入って寝るまでの、ほんのわずかな時間も、鉄砲を構えるシゲ爺の姿を思い浮かべたりした。

それにしても全身が痛い。やっとのことで服を着て、のろのろと部屋から出ていくと、婆《ばあ》さんが翔人の弁当を新聞紙でくるんでいるところだった。

「今日は冷え込むちょるぞ。まちっと地厚のセーターを着ていきない。出しといたけえの」

見ると、茶の間のこたつの上に、セーターが置かれている。いかにも地味で野暮ったいセーターだ。そんなダサいの、着れねえよ、と言いたかったが、寒いのは嫌だった。結局、顔を洗った後で袖《そで》を通していると、今度は縁側からシゲ爺が顔を出す。

「いつまで年寄りを待たすっとか。早う来んか、もう」

くわえ煙草で帽子の下から睨《にら》みをきかすシゲ爺の顔には、かなりの迫力がある。何という短気な爺さんだ。だが、腕力、脚力、持久力、何をとってもかなわないということは、これまでの三日間で嫌というほど思い知らされてきていた。

「ほら、もう行くぞっ！」

あたふたとしている翔人の前に、婆さんがでかい握り飯を差し出してくれた。まるで巨大な碁石みたいに見える形の、海苔《のり》ですべてをくるんである真っ黒い握り飯が、この数日の翔人の朝飯だった。これは、旨《うま》い。ちょっときつめに塩がきいている。翔人は黙ってその握り飯を手に取り、かぶりつきながら土間に向かった。背後から、「はいよ、行っておいで」という声がした。

靴を履こうとするだけで、太股《ふともも》からふくらはぎ、腰や背中の筋肉までが悲鳴を上げる。その都度「あいてって」と動きを止め、またそろそろと動かすのだから時間がかかっても仕方がなかった。とにかく腕を振っても何をしても、身体中が痛いのだ。それが、これまでの三日間の労働の対価。見事なまでの筋肉痛だった。

外は、真冬のように冷え込んでいた。片手に握り飯を持ったまま、白い息を吐いて薄水色の空を見上げ、翔人はふと、初めてこの村に来た日のことを思い出した。それほど遠い昔のことではない。たかだか十日あまり前のことだ。だが、あの時にこんなに冷え込んでいたら、翔人はまず間違いなく、凍死していたに違いない。

それにしても、あの時は、まさか自分が九州にたどり着いているとは思いもしなかった。それどころか、道ばたで怪我《けが》をした婆さんを拾うことになろうとも、しかもそのまま、こんな山奥の村で何日も過ごすことになろうとも。その上、よく知りもしない爺さんに朝っぱらから叩《たた》き起こされて、仕事に駆り出されようとも。

「へい、おはようさん。行こうや」

軽ワゴンの助手席に乗り込むと、爺さんはすぐにサイドブレーキを戻してアクセルを踏みこんだ。必要以上に元気の良いうなりをあげて、ワゴン車は坂道を上り始めた。辺りは既に明るくなってはいるのだが、太陽はまだ山の端から顔を出していない。車内は寒いままだ。吐く息は白く見えた。

「まだ痛えか、身体」

相変わらず、一度としてすれ違う車もない、曲がりくねった坂道を上り続け、翔人が握り飯を食い終わった頃になって、初めてシゲ爺が口を開いた。

「よっぽど、なまっちょったごたる」

そうかも知れない。それは認めないわけではなかった。だが、仕方がないではないか。まともに身体を動かしたのなんか高校時代の体育の授業までだし、あとは、ひったくりをして逃げるときに走るくらいのものだった。

「その上に、あれじゃ。年寄りくせえのう」

「――俺が?」

「若えうちちゅうとは、多少、慣れんことして身体が痛くなっちょっても、次の日にゃあ、もうケロリとしとるもんじゃ。筋肉痛だって、怪我だって、治りが遅うなったら、そりゃあ、おめえ、年取ってきた証拠たい」

翔人は「ふうん」と言ったまま、煙草を吸っていた。嫌な話だ。それも、七十過ぎの爺さんに言われるなんて。

「シゲ爺が元気過ぎるんだよ」

「馬鹿言え。わしは普通じゃ」

いや、普通なんかであるものか。絶対にちがう。この三日間で翔人は嫌というほど思い知らされていた。

正直なところ、最初、シゲ爺からこの話を持ちかけられたときには、翔人は良い暇つぶしが出来たくらいにしか思わなかったのだ。チエや道代たちは、せっかくだから祭りまでいたらどうだと言っていたし、婆さんも、特に文句を言う気配もなかったから、翔人としても「平家祭り」まで、この村で過ごすのも悪くはないと考え始めていた。第一、車の修理が出来てこないことには、足がない。どうせなら、婆さんの世話をした駄賃代わりにでも——婆さんに断ろうと断るまいと——あの軽トラをもらっていこうとも決めていた。どのみち、車の修理を待っていれば何日か過ぎる。そうすれば祭りが近づくだろう。ここを出たからといって、次にどこへ行くあてがあるわけでもない。急ぐ理由など何もなかった。

祭りまでの十日間、適当に暇つぶしが出来て、しかも現金収入が得られるとなったら、こんなに旨い話はない。年寄りと一緒に雑木林のようなところを歩いて、まるでピクニック気分で、のんびりと木の実でも拾ったり、キノコだか何だかを採って過ごすのも、悪くはないだろうと思った。だから引き受けることにしたのだ。

「そりゃあ、ちょうどええ運動になるっちゃないかのう。宝ん手をただ置くな、ともいうからの。行ってくりゃあええ」

「何だよ、その、宝の手って」

「そげえいうと。怠けんなっちゅうことじゃ」

夕方、畑から帰ってきた婆さんにその話をすると、婆さんもこともなげに言った。だから翔人は、本当に、実に呑気《のんき》に構えていたのだ。婆さんはシゲ爺のことを「昔はむぞうな顔した子じゃったよ」と言った。気の優しい、男にしては、乱暴なことも出来んような子だった、という話だった。だから翔人は、そんな優しい爺さんと、のんびり歩く姿ばかりを思い描いていたのだ。

だが、考えが甘かった。翌朝、爺さんは約束の時間に上機嫌で軽ワゴンを走らせてやってきた。そして、曲がりくねった坂道を三、四十分も走らせたところで、やっと車を停めたと思ったら、「そんなら、行くか」などと言ってカゴのようなものを背負い、翔人にも同じものを背負わせて、あまりにも唐突に、しかも傾斜の急な、本当の山の中に分け入っていったのだ。

こんもりした形の山というのは、遠目に見れば絵本に出てくるようで親しみやすい印象を抱くものだが、実際に歩いてみると、想像以上に傾斜がきつい。直線的に上ることなど不可能に近いし、まともに立っていることさえ出来ないくらいだ。その上、頭上からは木の枝が伸びていたり、草のツルが垂れ下がってくる。足元は落ち葉が降り積もっていたり、笹が生い茂っていたり、または木の根がうねっていたり、苔《こけ》だけの巨大な石が落ちていたりして、とても普通には歩けない。清水の湧《わ》き出ているところもあれば、小さな渓流もある。そんなところを、シゲ爺はひょいひょいと歩いていってしまうのだ。

「ちょっと待ってよ、シゲ爺！」

翔人は何度、先を行ってしまう爺さんを呼んだか分からない。少し歩いただけでも全身は汗みずくになり、息が弾んだ。油断をすると、もうシゲ爺の姿が見えなくなる。そして、雑木林の向こうから「早う来い！」とか「こっちこっち！」などという声だけが聞こえるのだ。

――畜生、失敗した。

後悔は、あっという間に押し寄せた。自分の浅はかさに歯がみをし、地団駄を踏みたいくらいだった。どこが「優しい」のだと、婆さんまで憎らしく思えた。いっそ、このまま引き返そうかとも、数え切れないくらいに考えた。だが、ほんの少ししか歩いていないつもりなのに、後ろを振り返っても道もなく、どうやって歩いて来たかさえも分からない場所だった。そんなところで勝手に動いたら、下手をすれば遭難するに違いなかった。それに、婆さんはクマはいないと言っていたが、信じて良いものかどうかも分からない。クマはいなくとも、オオカミがいるかも知れなかった。だから、シゲ爺の後に従うより他なかったのだ。そうやって三時間近くも歩かされ、やっとの思いで目的の場所までたどり着いた頃には、もう疲れ切って、何も考えられなくなっていた。

「こっからが仕事ぞ、おい。しっかりせんか」

ほとんど崩れ落ちるようにへたり込んだ翔人の近くで、シゲ爺は、例によって、ぱっ、ふうっと煙草《たばこ》をふかしながら涼しい顔で笑っていた。あの段階でもう完璧《かんぺき》に、勝負はついていた。自分の何倍、生きているか分からない老人に。

本当はあの日だけで、「やめた」と言うつもりだった。何より一日でくたくたに疲れ果てた。こんな思いまでして金を稼ぐ必要が、どこにあるのだと思った。少なくとも山を下りるまでは、その気だったのだ。

「初めてにしちゃあ、すげえぞ」

ところが婆さんの家に戻り、採ってきたキノコや栗、さらに自然薯《じねんじょ》などを分けてもらっている間に、シゲ爺に言われたとき、自分でも不思議な気分になった。

「そんな、ヘワヘワしちょるから、じきに音を上げるかと思うとったら、ちゃんとついてきたもんのう」

音は上げていた。一人にされては困るから、ついていっただけのことだ。文句を言わなかったとしたら、それは疲れすぎていて口もきけなかったせいに違いない。だがシゲ爺は、「えらいぞ」と笑って、小さな子にするように、翔人の頭を撫《な》でた。一日の収穫を見に家から出てきた婆さんさえも、「へえ」と目を細めた。

「ぼうが、あの山の奥まで、本当に入れたとかい。そりゃあ、すごいわ」

婆さんはカゴの傍にしゃがみ込み、翔人たちが採ってきたキノコや栗の実に一つ一つ手を触れて、にんまりと笑った。

「よかったねえ、ぼう。てえしたもんじゃ。高くに売れるとええの」

そして婆さんもまた、翔人の頭をぽんぽん、と撫でた。二人の年寄りに交互に褒《ほ》められて、翔人は何ともいえずくすぐったいような、不思議な気分を味わっていた。疲れ切っているはずなのに、一日の出来事を喋《しゃべ》りたくてたまらなかった。その晩は、これまで以上に飯も旨かったし、婆さんにすすめられて、生まれて初めて焼酎《しょうちゅう》まで飲んだ。そして、あっという間に酔っぱらい、八時過ぎには、もう眠ってしまった。

だが翌朝、筋肉痛と共に目覚めたときには、最悪の気分になっていた。この何年か、いつもそうなのだ。予備校も、学校も、アルバイトも。パチスロ通いでさえ。せっかく行き始めても次の日になると、何ともいえず嫌な気分になってしまう。

どうしてなのか、自分でも分からなかった。本当に、最初は張り切っているのだ。今度こそ続けよう、続けられそうだと、心の底から思うのだ。それなのに翌朝になると、もう気分が変わっている。すべてが馬鹿馬鹿しくて、面倒くさくて、何をやってもうまくいかないような気がしてしまう。その結果、翔人は何もかも放り出してきた。その度に惨《みじ》めな気分にもなるし、腹立たしくも思うのだが、翔人の中で「もうイヤだ」という声がするのだから、どうしようもなかった。その声がしたら、やめるより仕方がないのだ。結局、翔人はそういう人間なのだ。だから今回も、そのままやめてしまうつもりだった。

「いつまで寝ちょっとか。時間じゃが、ぼう！」

ところが、淋しく諦《あきら》めの境地に達して再び微睡《まどろ》み始めたときに、何の前触れもなくシゲ爺が部屋に入り込んできて、叩き起こされた。そして、有無を言わさず着替えを急《せ》かされて、家から連れ出された。文句を言う暇も与えられなかった。

昨日も同じだ。翔人にしてみれば、もう限界だと思ったし、今度こそ「やめる」と言おうとしたが、まるで聞き入れられる風でもなかった。そして、今朝も。

――大体、何だって他人の家に勝手に上がり込んでくんだよ、このジジイは。ばあちゃんもばあちゃんだ。平気でよその男を家に上げるなんてよ。

文句なら、いくらでも口をついて出そうだった。乱暴すぎる。人使いが荒すぎる。朝が早すぎる。車の中が寒すぎる――だが、翔人が少しでも文句らしいことを口にすると、シゲ爺は必ず、言葉の替わりにゲンコツを返してくる。初日からそうだった。さほどの力が加わっているとは思わないのだが、手のどこを当ててくるのか、グリッとした固いところが、こちらの頭にじかに当たると、何ともいえず痛い。

「何、黙りこんじょる」

冬枯れの色が広がる森の間を抜けながら、シゲ爺が口を開いた。翔人は「べつに」とそっぽを向いていた。

「朝から不機嫌ちゅうとは、よくねえぞ」

「――」

「天気よし、空気よし、身体も健康なら、飯も旨い。そげん朝に、渋しい面《つら》つきする理由がどこにあると」

「だって——」

「ああ？」

「だって——」

ついい、文句を言いそうになって息を吸い込んだとき、もうゲンコツが飛んできた。

「てっ。何だよ、シゲ爺っ！」

「何だよは、おめえだ。娘子みてえに、だってえ、だってえって。男じゃろうが」

「——そんなこと言ったって」

「言いたいことがあんなら、言わんか、ほら」

「言ったら、怒るくせに」

「わしは怒ったりせんぞ」

「嘘《うそ》つきだなあ、もう。すぐに殴るじゃねえかよ、人のこと」

「殴るう？　殴るじゃあ？」

言うなり、シゲ爺がゲラゲラと笑い出す。

「馬鹿ぬかせ。コツン、てやっちょるだけじゃろうが。殴るっちどういうもんか、おめえ、知らんとじゃねえか」

急に、目の前に握り拳《こぶし》が突き出された。咄嗟《とっさ》に肩をすくめて避けようとしながら、翔人は爺さんの笑い声を聞いていた。

「心配すんなって。コツンとやっただけで、こんだけピイピイ言うようなヤツを、殴ったりせんて。攻撃ちゅうのはな、相手に応じたことをするもんじゃ。力の弱いもんには、弱いなりに、強いもんには、強いなりにな。必要に応じて、使い分けるもんなんじゃ」

必要に応じて——。一瞬、何か不愉快なことが思い浮かびそうになって、翔人は慌《あわ》てて窓の外を見た。この道は、昨日も通った道だろうか。どこを通っても、どの風景も、皆、同じに見えてしまう。少しは覚えようと思うのだが、まるで覚えられない。ふと、一体自分はどこをどう通って、この村までやってきたのだろうかと思った。埼玉の、あの一人暮らしのアパートから、今日までたどってきた道を、ずっと地図の上でなぞったら、どんな線が引けるのだろう。

「さて、この辺で停めるか」

やがてシゲ爺は、いつも通りに坂道の途中で車を停めて、山歩きの支度を始めた。翔人も素直に、それに従った。起きるときには嫌で嫌でたまらなかったが、ここまで来てしまうと、心は嫌なままでも、身体の方だけは意外にすんなりと動くものらしい。それが、自分でも不思議だった。

「よし、行くぞ」

車を降り、シゲ爺が山に分け入っていく。その後ろ姿を眺めてから、翔人は何気なく、後ろを振り返った。シゲ爺の軽ワゴン車に、ようやく山の端から顔を出した太陽の光が当たり始めていた。暖かそうだった。ふと、どこか遠くへ行きたいと思った。途端に、心臓が小さく跳ねた。たった今まで、シゲ爺に従って、今日も山を歩く覚悟だった。少なくとも身体の方は、もう諦めも覚悟も出来ていたはずだった。それなのに一瞬のうちに、気持ちが変わった。

——祭りなんか、どうだっていいじゃねえかよ。

今すぐにシゲ爺をやり過ごして、車に飛び乗ってしまおうか。キーが抜かれていないことは知っている。さっと乗り込み、そのまま走り去れば、いくらシゲ爺だって、まさか、車よりも速く走ってくるとは思えない。いや、万に一つも、車の前に飛び出してきて、立ちはだかるような真似《まね》でもしたら、そのまま跳ね飛ばせば良いのだ。

急に心臓がドキドキしてきた。車は坂の上を向いて停まっている。このまま坂道を上っていくと、この道はどこへつながっているのだろうか。いずれにせよ、村の中心からは離れている。それだけは確かだ。

——行くか。このまま。

こんな、九州のどこにあるかも分からないクソ田舎にいる価値が、一体どこにあるというのだ。テレビのチャンネルも揃っておらず、見えるものは空と山しかなく、夜になったら寝る以外にすることもないような、こんな村のことなど、あっという間に忘れ去るに決まっている。

「ぼう、どした」

道の反対側に渡って、今にも山に入りかけていたはずのシゲ爺の声が静けさを破った。翔人は身動きもせずに、シゲ爺の方を見た。

「忘れ物でもしたんか？」

シゲ爺は怪訝《けげん》そうな顔でこちらを見ている。

「腹でも痛えか。クソしてえか」

白髪の交じった太い眉《まゆ》が、きゅっと寄ったのが翔人の位置からでも見て取れた。

――どうする。どうする。

手のひらに汗が滲《にじ》んできた。頭の中に白い星が飛びそうだ。耳の奥できーん、という音がする。

ここで、素早く車に乗り込む。キーを回す。サイドブレーキを戻してアクセルを踏み込む。いや、ギアだ。ギアを入れる――。

免許を取ったのは十八の時だ。一浪になって、さしあたってすることもなかったから教習所に通った。だが実際のところ、あれから頻繁に乗っているのは、もっぱら原チャリばかりだった。だが、四輪にだって乗れる。絶対。だが——ああ、パニックになっている。こんなことは初めてだった。何度、ひったくりをしても、こんな気分になったことはない。

「ぼうっ！　いずみっ！　こらっ！」

シゲ爺の怒鳴り声が響いた。その途端に、すうっと耳鳴りが遠ざかり、辺りの景色がはっきりと見えるようになった。

「逃げるなっ。往生際《ぎわ》が悪いぞっ！」

シゲ爺が拳を振っていた。ああ、また打たれる。そう思ったのに、どういうわけだか翔人の足は、前に向かって歩き始めていた。

「どうしたと、おい」

通りを渡り終えると、シゲ爺は不満げな顔で顎《あご》を突き出してくる。翔人は何も言わずに、ただ首を振っただけだった。その途端に、こめかみの辺りにシゲ爺のゲンコツが飛んできた。

「てっ！」

「この。まだ、寝ぼけちょるな。ちゃんと目ぇ、覚ませよ。こげん山だち、油断すっと怪我、しよるぞっ」

シゲ爺のぎょろりとした丸い目が、じっと翔人を見据えていた。翔人は自分の頭を撫でさすりながら、小さく頷《うなず》いた。

「じゃあ、行こうや」

シゲ爺の小さな、だがたくましい背中がぐんぐんと山に分け入っていく。それを見つめ、自分も後に従いながら、翔人は、全身から冷や汗がどっと流れ出るのを感じていた。

――俺、この人を殺すところだったのかも知れない。

今、目の前の藪《やぶ》を払っている人を。翔人の腹具合まで心配する老人を。

どうして自分が逃げられずにいられたのか、どうして、あの時の一瞬の誘惑を振り払うことが出来たのかは、よく分からない。だが、とにかくホッとしている。それだけは確かだった。

9

朝、シゲ爺《じい》に叩《たた》き起こされる。

寝ぼけ眼で身支度をして、婆《ばあ》さんに手渡される巨大碁石のような握り飯を口に突っ込む。それとは別に、新聞紙にくるんだ弁当を持って家を飛び出し、婆さんとバカ犬のゴンに見送られてシゲ爺の軽ワゴンに乗り込む。やがて白い息を吐きながら、見知らぬ山に分け入っていく。

歩く。ひたすら歩く。枝を払う。石ころや木の根をよける。草をかき分け、土を掘る。腰を屈《かが》め、膝《ひざ》を折る。時として小さなのこぎりや農具を使う。汗をかく。陽射《ひざ》しを浴びる。鳥の声を聞くこともある。そうこうするうち昼になる。昼飯を食う。梅干しののった飯と焼いた肉。佃煮《つくだに》。漬け物。中身は毎日、同じだ。食後、シゲ爺は煙草《たばこ》を吸う。ぱっ。ふうっ。火事などを出してしまってはひとたまりもないからと、注意深く煙草を消し、吸い殻を持ち帰る。翔人《しょうと》も、真似をする。けれど、シゲ爺のような音はたてない。

山あいの日暮れは早い。頭のてっぺんを通過すると、冬に向かう太陽はあっという間に広々とした空を滑り落ちていく。本当の夕方が来て、太陽が西に沈むにはまだ大分あると思うのに、その太陽が山の端に隠れた途端、辺りの景色からは輝きが消え、風は冷たさを増すのだった。だから、シゲ爺はいつも昼の休憩が終わって、まだほんの少ししか身体を動かしていない頃、太陽がまだまだ十分に頭上で輝いている時刻に「よし」と声を出す。

「しまいにしようや、そろそろ」

翔人は、黙ってその声に従う。また数時間をかけて車を停めてある場所まで歩き、山を下りる。婆さんの家に戻ると、シゲ爺は今日の収穫から翔人の取り分を分けてくれる。その頃に、ちゃんと日暮れがやってくる。

翔人が「ただいま」と声をかけると、婆さんは必ず家から出てきて、時には口の中で何ごとかをぶつぶつ言いながら、シゲ爺と翔人の、今日の収穫を見渡した。

「ええのが採れたねえ」

「こりゃあ、大《てえ》した量じゃ」

「外から来る人たちは、喜ぶじゃろ。こげえなよかもん、滅多にお目にかかれるもんじゃないけえ」

言いながら、婆さんは決まってにんまり笑う。そうして幼い子どもにするように、翔人の頭を撫《な》でる。というか、押す。ぐり、とか、ぽんぽん、とか。シゲ爺も、まんざらでもなさそうな顔で今日一日の報告を簡単にする。どこそこの山に入ったが、何それが荒れてきているとか、去年は見つかった何かが今年は見つからなかったとか。シゲ爺の言葉には強烈な方言も混ざり、独特のリズムもあって、それ以上には翔人には聞き取れない。ひと通り喋《しゃべ》っていくと、シゲ爺は「またな」と帰っていく。

翔人は婆さんが晩飯を支度する間に風呂に入る。最初はチリチリと全身を刺すように熱く感じられる湯に浸かると、初めて手足がかじかんでいたことに気づき、やがて、背中や腰、二の腕や肩の筋肉が緩んでいくのを感じ、そして、手足のどこかに必ず新しい擦り傷や切り傷が出来ていたことを発見する。

――ああーあ。

昨日も、一昨日もそうだった。そうして浴槽の縁に頭をもたせかけて、湯気で霞《かす》んで見える天井を見上げたり、さらさらの湯をすくって顔を洗うとき、翔人はしみじみと、今日も一日が終わったと感じた。鼻の奥に残っていた枯れ草や土の匂《にお》いが、ようやく洗い流されていく。それは、まるで魔法にかかっていたかのような気分だった。

とにかくこの数日というものは、長いのか短いのかさえも分からない、本当に魔法のような毎日だった。朝は早いし、身体はキツく、傍には一日中他人がいる。シゲ爺は、身体を動かしているときには口を動かすな、と言う。山の中を歩き回ったり、何かの作業をしている間には、「ほら」とか「そこじゃ」とか、必要最低限のことしか言わない。だから、多少なりとも会話らしい会話になるのは、十時頃に一服入れるときと、昼飯のときくらいだ。それにしたって、翔人から話しかけることは、まったくと言って良いくらいになかった。話すことがない。話したいと思うことなど、見つからない。こんなに長い間、他人と一緒に過ごしたこと自体がほとんどないのだから、仕方がないのだ。だから結局、自然と、お互いに黙っていることの方が多かった。そうやって過ごしていれば、自動的に頭の上を太陽が通過して、夕暮れがやってきた。そんな一日は、果てしなく長いようにも思え、その一方で、呆気《あつけ》ないくらいに短くも感じられる。

――それも、あと二日か。

気がつけば、いつの間にか最初の頃のような筋肉痛はなくなっていた。毎朝、シゲ爺に叩き起こされなければならないことに変わりはないが、実のところは、さほどの抵抗もせず、嫌だとも思わずに、案外すっきりと起きられるようになっている。少なくとも「嫌だよ」なんて布団にしがみつくことはなくなった。心のどこかでは「もう一人で起きられるんじゃねえのか」という声もする。その分だけ、自分の中で何かが変わろうとしている気がする。

「明日は雨じゃっちゅーぞ」

風呂から上がって婆さんと二人の食卓に向かうと、まず婆さんが口を開いた。

「山へ行くとはやめた方がええじゃろう」

熱い味噌汁をすすり、今や大好物となった菜豆腐に箸《はし》を突き刺しながら、翔人は

「ええ?」と婆さんを見た。心地良く空腹を感じているし、すっかり慣れた感のある焼酎《しょうちゅう》のお湯割りも旨《うま》いのに、途端に腹の底で苛立《いらだ》ちがうごめいた。

「じゃあ――どうすんのさ」

「さあねえ」

「さあねえって。じゃあ、じゃあ、俺は? 明日、どうすんの」

「どうすんのって、さあねえ」

「さあねえってこと、ねえだろうが」

口に運びかけていたお湯割りの入った湯呑《ゆの》み茶碗《ちゃわん》を食卓に戻して、翔人は眉根《まゆね》に力を込め口を尖《とが》らせた。

「どうすんだよう、そんなの。どうすりゃ、いいんだよう」

「しょうがにゃーが。雨じゃけえ」

「だって――だから――じゃあ、雨が降ったら、どうすんだって」

自分でも何を言っているのか、よく分からない気分だった。雨が降れば、休めば良いのだ。やった、ラッキー、と喜べば良いのだと思う。夜明け前から叩き起こされる心配もいらない、手足に擦り傷や切り傷を作って歩き回る必要もない、そんな嬉《うれ》しいことはないではないか。それは、頭の片隅できちんと分かっていることだった。

「だって、もうあと二日しか、ねえんだろうがよ。もう、明々後日《しあさって》から、平家祭りなんだろう？」

「そうじゃねえ」

「シゲ爺が言ってた分だけ、まだ採れてねえんじゃねえのかよ。いいのかよ、そんなときに休んでさあ」

「しょうがにゃー。雨じゃけえの」

だが、その一方で、こんなにも不安になっている。これで一日でも休んでしまったら、家でゴロゴロしてしまったら、また元の自分に戻ってしまうのではないかという気がしてならない。

無論、べつに、それならそれで構わないという気持ちはあった。大体が、平家祭りまでの単なる暇つぶしのつもりで始めたことだ。暗いうちから起き出して、汗水流して働くことなど、元来の翔人にはもっとも合っていない生活パターンだとも思う。けれど、せっかく毎朝きちんと起きられるようになったのに、という悔しさのようなものもあった。

——逆戻り。

その想像は、まるで後頭部から引きずり込まれて、暗い深みに落ちていくような印象のものだった。何を必死で受験勉強に励まなければならないのかが、まるで分からなくなっていた日々。毎日、パチンコ屋やゲーセンに通うだけだった日々。駅のゴミ箱からマンガ雑誌をあさっていた日々。いつも頭がぼんやりとして、ついにはコンビニしか行く場所がなくなった日々——そして、結局はアパートも出なければならなくなり、帰る家は、とうに失っていたし、ただ流されるままに、毎日のように、ひったくりばかり続けるようになっていた日々。

また、そんな毎日に戻るのだろうか。それが翔人に運命づけられた生き方ということなのか。どうしようもなく、抜け出せないのだろうか——まあ、それならそれで、仕方がない。とにかく今は、飯が旨かった。菜豆腐の、しっかりとした歯ごたえも、大豆の甘味も、何もかもが旨かった。そのことだけ感じられれば、それで構わないのかも知れなかった。

「降ったら降ったで、やることはあるたい。いっぺえ」

今日は茶色く炊《た》けている飯を少しずつ口に運びながら、婆さんが口を開いた。

「油断しちょると、慌《あわ》てることになるけえの。明日が雨じゃろうと何じゃろうと、シゲ爺はきっとぼうを迎えに来る」

「マジで？　やっぱ、山に行くのかな？」

「行かんて。人の話を聞いちょらんと」

「聞いてっけど——」

「山まで行かんでもね、仕事はいくらでもあるもんたい」

「どんな」

「今日まで集めたもん、袋に詰める仕事もあるじゃろうし、それを町の方に運ぶことも、せんとならんじゃろうし、町に行ったら行ったで、あれやれぇ、これやれぇち、言われるに決まっちょるって。ぼうなんか、特に」

「なんで、俺が？」

「決まっちょるじゃろうが。若いっちゃから」

「——また、それか」

「それ以外にもなー、蔓《つる》を編むとも、鎌《かま》や鉈《なた》の手入れでも、なんでも、やることはあるたい。どぶろく作ったってええし。たまには雨が降ってくれんことにゃあ、そげん仕事がたまっていくじゃろ。ちょうどええように、出来とると」

「それで、どうして今日の飯は茶色いのさ」

「茶飯じゃけえ」

「茶飯？　茶色い飯？」

婆さんが味噌汁を噴き出しそうになった。翔人は「きったねえなあ」と言って身体をのけぞらせながら、声も出さずに笑っている婆さんを眺めていた。最近の婆さんは、心なしか以前よりもよく笑うようだ。だが、その理由については、翔人には分からないことが多かった。

その日も早々と布団に入って、すぐに寝入り、ふと目を覚ますと、たん、たん、と軒を叩くような音が聞こえていた。遠くではチョロチョロと何かが流れているような音がする。たんたん、たんたん、とリズムを打つものがある。ごう、と風が鳴った。

――雨？

暗闇の中で天井を見上げながら、翔人は全身を包み込むような密《ひそ》やかな音に耳を澄ませていた。

さあ、さあ、と雨戸に何かが吹きつける音がする。そう、ちょうどホースで水まきをしているときのような音だ。屋根を叩く雨音も、独特の波がある感じだ。そして、雨だれ。とん、とん。たん、たん。かん、かん。あれは何かの空き缶にでも当たっている音だろうか。ちん、ちん。あれはガラスの器か何かか。ぴちょん。雫《しずく》が落ちる。ちょろちょろと、どこかからどこかへ小さな流れが出来ている。じょぼじょぼ。他に比べて激しく水がぶちまけられている。

翔人は不思議な思いで、それらの音に包まれていた。わくわく、とも違う。どきどき、でもない。しみじみ。ひやひや。きょろきょろ。おどおど。畜生。こんなことなら、もう少し言葉を勉強しておくのだったろうか。今の気持ちに当てはまる、ぴったりとくる言葉が、まるで思い浮かばないではないか。

——だけど。

何となく——多分、楽しいって感じだ。嬉しいような感じもする。愉快というヤツかも知れない。だが、こういう気分になったことがないので、よく分からなかった。大体、楽しいとか嬉しいとか、そういう感情が自分に備わっているとも、思ったことはない。ただ、イイ感じだ。

雨の音を聞いただけで、こんなことを感じる自分は、どこか変なのだろうか、と翔人は考えた。ただの雨降りではないか。愉快もへったくれもあったものではない。そこに楽しいとか嬉しいとか、何を言っているのだろうかと思う。だが、こんなに色々な音に包まれて眠るのは、もしかすると初めてのことかも知れなかった。翔人は、赤ん坊の頃からアパートかマンション暮らししか経験していない。雨戸のある住まいでさえ、この家が初めてだ。ただの四角い鉄筋の建物では、上の階に行けば行くほど、道路を叩く雨音さえも聞こえなくなる。

だから、単に物珍しいだけかも知れなかった。こうして闇の中に沈み込んでいるだけでも、雨に濡《ぬ》れる家の周囲が思い浮かぶようだった。ゴンの小屋も濡れていることだろう。庭には水たまりが出来ていて、軒先からもいくつもの雫が垂れている。たとえ明るくたって、向こうの山は煙って見えなくなっているはずだ。アスファルトの坂道には、幾筋もの水の流れが出来ているに違いない。

とん、とん。

たん、たん。

雨粒と一緒に、翔人の心の底でも、何かが小さく跳ね躍っている気分だった。くすぐったいような、ガキの頃に戻って、たとえば弟でも良い、誰かとじゃれ合いたいような、そんな気分だった。

――和人。

ふいに、幼かった頃の弟の姿が思い出された。笑い上戸で、まん丸い顔をしていた。喧嘩《けんか》になるとムキになり、馬鹿力を出して翔人に向かってきた。両親が喧嘩を始めて、二人で別の部屋に逃げ込んだときなどは、必死で泣くまいとして「うぇっ、うぇっ」というような声を何度も出し、ついでに鼻も鳴らしていた。膝《ひざ》を抱えて、その膝小僧に自分の額をあてていた――翔人は鼻先まで布団を引き上げ、寝返りを打った。雨音を聞きながら、どうして突然、あんな幼い日の弟を思い出したのだろうかと思った。

気がついたときには、雨戸の隙間《すきま》から弱々しい光が入り込んでいた。翔人はぼんやりと枕元《まくらもと》の雨戸の方を見やり、それから腕時計に手を伸ばした。

――六時四十分。

その途端、はっと目が覚めた。どうなっているのだ。いつもなら、とっくに出かけている時間だ。シゲ爺は来ないのだろうか。翔人は急いで布団から抜け出すと雨戸を開けた。

外は、音もなく細かい雨が降りしきっていた。

辺りのすべてが色彩を失って、まるで古い水墨画に描かれた風景のように見える。広々とした庭の片隅にあるゴンの小屋でさえ、いかにも頼りない小さなかたまりにしか見えなかった。翔人はがっかりした。昨日、婆さんはあんなことを言っていたが、やはり雨のせいでシゲ爺は来なかったのだ。すると今日一日、果たして自分は何をすれば良いのだろうか。

「シゲ爺から電話があっての」

着替えるのも億劫《おっくう》で、パジャマのまま階下に行くと、いつもと変わらずに台所に向かっていた婆さんが、こちらを振り向いた。

「ちいっと寄るとこが出来たけえ、それが済んだら、来るちゅうて。そうしたら、すぐに出かけられるごとしておいてくれっち」

「――なんだよ、それ」

何となく腹立たしい。

人の予定を自分の勝手に出来ると思っているのかと言いたかった。

「なんだよ、ちいっと寄るとこって」

「知るもんね。今日は、普通のご飯でええかい」

「いいけどさ。シゲ爺、何時頃になるんだって？」

「さあねえ。聞いてないっちゃけんど」

失礼な話だ。それで、すぐに出かけられるようにしておけとは、何という言いぐさなのだ。だが、婆さん相手に怒っても仕方がなかった。翔人はテレビのスイッチを入れて、NHKのニュースを見ることにした。

〈——今朝の東京地方は、この秋一番の冷え込みになりました。北から紅葉の便りが徐々に南下してきていますが、ここ神宮外苑のイチョウ並木も、そろそろ黄色く染まり始めました〉

地味な印象のアナウンサーの背後に、見覚えのある風景が映し出されている。神宮の絵画館前だ。そこから真っ直ぐに伸びる並木道がある。翔人は思わず食い入るように、その景色を眺めた。犬の散歩をしている人の姿があった。サウナスーツのようなものを着込んでジョギングをしている人の姿もある。いかにも都会的で優雅な風景ではないか。第一、平らだ。こんなに毎日、平地のないところで暮らしていると、それだけで、いかにも珍しく、また洗練された風景に見えてくるから不思議だった。実際に歩いてみれば、どうということもないただの道なのに。

そして、翔人も確かに、あの道を歩いたことがある。夏の盛りに、手足を蚊に食われながら。真冬には、すべての葉を落とした裸木だけの並木の間を、ジャンパーのポケットに手を突っ込み、首をすくめて。

〈さて、お天気ですが、今日は前線の影響で西日本から雨の範囲が広がってきているようです——〉

頭の中で何かが小さく渦巻いたように感じた。時間。時間が、流れている。見えないし、感じたこともないけれど、確かに流れているのだと思った。

――時間。

子どもだった翔人をいつしか無気力な高校生に押し上げ、だらだらと暮らすばかりの浪人生に仕立て上げ、やる気ゼロの五流大学生にさせたもの。外から見れば格好だけは四人家族だった家庭は、時間がたって、結局、跡形もなくなった。

――俺は今、ここにいる。

この九州の宮崎に。平家の落人《おちうど》が開いたという山奥の村に。けれど、それを知る人は誰一人としていないはずだ。翔人にしたところで、何も知らない。母親が今、どこで何をしているのか。父親がどこに暮らし、どんな仕事をしているのか。四歳下の和人が、学生なのか社会人なのか――。

「飯にしようかい」

ふいに婆さんが盆を持ってやってきた。湯気の立ち上るご飯茶碗《ちゃわん》と味噌汁の椀《わん》とをこたつの上に移しながら、翔人は何ともいえない気分になっていた。今、ここでこうして、赤の他人の婆さんと食事をとっている自分が、まるでいかにも頼りない、空中を漂う泡《あぶく》か何かのような気がしていた。

KINOKUNIYA BOOKSTORES
10500 SW BEAVERTON-HILLSDALE HWY
BEAVERTON, OR 97005
PHONE (503) 641-6240

MID: 88430054699002
REF NO: 0009
INV NO: 11365201032299
AUTH CODE: 002410
DATE: APR 2, 2013 11:36:56

CREDIT SALE

TOTAL: $34.10

CARD: VISA / Swiped
ACCT: ************5008 EXP: XX/XX
NAME: OTSUKI/YUMIKO

X----------------------------------
I AGREE TO PAY THE ABOVE TOTAL
AMOUNT ACCORDING TO THE CARD
ISSUER AGREEMENT.

10

食事を終えてしばらくしても、シゲ爺《じい》はやってこなかった。婆さんは、今日は病院の日だといって、翔人を残して出かけていった。雨は降り続いている。昨晩とはまた異なる雨だれの音が、ひっそりとした薄暗い家の中に四方八方から響いていた。

——しょうがねえな。まったく。

テレビを見ていても、まるで面白くない。こんな肌寒い日なのだから、こたつに入って日がな一日うだうだと過ごしていた方が楽に決まっていると思うのに、じっとしていると、どうにも落ち着かなかった。

「あーあ、面白くねえっ！」

天井を見上げて声を張り上げてみても、何が変わるわけでもなかった。かっこん。かっこん。翔人は落ち着かない気分のまま、何度となく振り子を揺らす柱時計を見上げて過ごしたが、結局、時計がぼおん、ぼおんと八つ鳴ったところで、どうしようもない気分でこたつから抜け出した。

「遅《お》せえっつうの」

まったく。何をしているのだ。こうなったら、いつシゲ爺が来ても「いつまで待たせるんだよ」と文句を言えるようにしておきたかった。そのためには、婆さんに言われた通り、すぐに出かけられる格好になっていなければならない。

二階の部屋に戻って適当に布団を畳み、服を着替える。窓から眺める風景は、相変わらず雨に煙っていかにも寒そうだ。

「いくら、天気のいい日には出来ないことがあるからってよ、それならそれで、ひと言言えってえんだよ。なあ。年寄りだからって、人を甘く見てんじゃねえって。若者を馬鹿にしていいってこたあ、ねえんだからさ」

いくら声を出しても、どこから返事が聞かれるわけでもない。ただ、自分の吐き出した息が、ガラス窓をぼんやりと白く曇らせるだけだった。振り返ると、すぐ背後にまで静寂が忍び寄っている。

ふいに、自分が見知らぬ人の家に入り込んでいるという現実が押し寄せてきた。

——婆さんは、いつから一人なんだ。

これまで一度も考えたことはなかったが、その時になって初めて、翔人は二階の部屋を見て回ることを思いついた。この家の二階には、翔人が使用している部屋の他にもあと三つの部屋がある。だが最初のうち、婆さんの目を盗んでは金目のものを捜していたときでさえ、一階にある婆さんの寝室や仏壇のある部屋ばかりを探っていて、翔人はそれらの部屋に関しては、まるで手つかずにしていた。無論、雨戸を閉めるときだけは足を踏み入れるが、古い机や本棚が置かれているばかりの部屋は、何となく今にも持ち主が現れそうな気配に満ちていて、正直なところ、薄気味悪ささえ感じたのだ。とてもではないが、金品を物色する気になど、なれはしなかった。

他にすることも見つからない、こんなときには、そういう部屋を探検してみるのも一興かも知れなかった。むしろ、退屈しのぎにはおあつらえ向きかも知れない。翔人は改めて窓の外を見やり、車の一台も通っていないことを確かめると、まずこの部屋からは一番離れたところにある、突き当たりの部屋を目指すことにした。

「――お邪魔、しまあす」

化粧合板の引き戸を、そっと開ける。ぼんやりとした灰色の明るさが広がる六畳間だった。窓辺には木製の机とスチール製の椅子。また、壁の脇《わき》にも、やはり木製の本棚。ビニール製のファンシーケースと、赤いカラーボックス。そして引き出しタンスが一つ。壁には、ひげ面《づら》の白人のポスターが貼《は》られていた。カウボーイハットを被《かぶ》っている。心持ち目を細めて、脂《あぶら》ぎった感じだ。どこかで見たことがあるような気もするが、翔人には、それが誰かは分からなかった。多分、昔の俳優か何かだろう。

婆さんには三人の子どもがいるはずだった。一人は、近所の人たちが翔人の父親だと決めつけている豊昭という人。あとは、大阪にいる何とかいう息子と、札幌にいる娘だ。この部屋は、その三人のうちの誰の部屋なのだろうか。ちょっと見ただけでは、持ち主の性別も分からなかった。こんな感じの映画スターのポスターなら、男が貼っていても違和感はない。カラーボックスの赤い色が、妙に目に鮮やかだ。けれど、その他のものはあまりにも味気なくて、持ち主のイメージが残っているとは言い難い。

「順番に使ってた、とか？　あり得ねえ話じゃあ、ねえよな。兄妹の歳《とし》が離れててよ、お兄ちゃんの後には、じゃあ、次は私が、とかって」

誰に向かって喋《しゃべ》っているのかと思う。これは明らかに独り言だ。翔人は、独り言を言う癖など、持ち合わせてはいないつもりだった。だが、妙に濃厚な空気の漂う、人の気配の残る場所に、赤の他人である自分が入り込んでいるという意識が、何となく喋らずにいられない気分にさせた。見えもしない誰かに、ずっと言い訳でもしているような気分だ。

「しょうがねえなあ。何もかも、全部捨てられちゃったってこたあ、ねえだろう？　実家なんだからさ」

一人で呟《つぶや》きながら、何気なく押入に目を止める。翔人は、飴色《あめいろ》に古びて、自然に破れ始めてしまっているらしい襖《ふすま》に、そっと歩み寄った。足元の畳が、わずかに沈むようだ。小さく決心をして襖に手をかけた途端、ふうっと誰かの小さなため息が聞こえたような気がした。手首から二の腕にかけて、ぞわぞわっと微《かす》かな悪寒《おかん》が駆け上がる。寒いせいだ。この天気のせいもあって、今日は底冷えがする。

押入の中には、いくつかの段ボール箱が積み上げられていた。きちんと閉じられているものもあるが、ただの物入れのように、雑然と荷物を放り込んだだけのようなものもある。それらを、翔人は何気なく眺め回した。

手前の箱には何枚ものレコードが放り込まれていた。父親が持っていたから覚えている。シングル盤とかドーナツ盤とかいうヤツだ。CDよりも大きく、薄っぺらい紙製の封筒のようなジャケットに収められている。「白い色は恋人の色」「ゆうべの秘密」「ブルー・シャトウ」どれもこれも、聞いたこともない歌ばかりだ。待てよ。「亜麻色の髪の乙女」がある。これは聞いたことのあるタイトルだった。だが、あとは分からない。これらを見ても、この部屋に暮らしていたのが男なのか女なのか、分からなかった。

あれこれとのぞき込んでいると、やがて何冊かのマンガ本が出てきた。その中に「天才バカボン」を発見して、翔人は思わず「すげえ」と声を上げた。

「何だよ、これ。マジ？　あのバカボンか？　へえ、すげえじゃん」

不思議な気分だった。大昔のものばかりが溢《あふ》れていると思っていた部屋の片隅に、自分も知っているマンガがあるとは思いもしなかった。翔人は思わず、古い「天才バカボン」のページを繰った。確かに間違いなく、翔人の知っている「天才バカボン」だ。だが、何となく絵が違うようにも思う。まあ、翔人が知っているのはアニメの「天才バカボン」だったから、原作とは少しばかり違っていて当然なのかも知れない。

――こんな昔からあるマンガだったのか。

さっき感じたのと同じ渦巻きが、またもや頭の中で動いたような気がした。

時が流れている。ここにいて、この部屋で暮らした誰かは、今ごろはどこかの街に出て、働いて、結婚し、時には離婚し、翔人と同じような子どもを抱えているのかも知れない。かつて、山に囲まれた村にいて、この部屋で「天才バカボン」を読み、「亜麻色の髪の乙女」を聴いたことなど、とうに忘れ果てて暮らしているのだ。

時が流れた。その人物は、とっくに良い大人になっている。それどころか、とんでもないクソジジイかクソババアになっているのかも知れない。そして、婆《ばあ》さんを放ったらかしにしているのだ。

――俺もいつか、そうなる。

考えたこともなかった。だが、そのことが突然、現実として翔人の前に迫ってきた。生きていれば、嫌でも一年に一つずつ、年齢を重ねていくのだ。来年には二十四になる。再来年には二十五だ。そうこうするうち、三十になって、四十になる。四十の自分など想像もつかないが、だが生きていれば、誰でも等しく、間違いなくなるのだ。そうしていつか、シゲ爺のようになる。この家の婆さんのようにもなるかも知れない。

その時、自分はどこでどうしているのだろうかと思った。うんと昔、まだ二十三歳の若者の頃に、九州の山奥の村で、見知らぬ爺さんにこき使われて、雨さえ降らなければ毎日、山に入ったことなどを忘れずにいるものだろうか。道ばたで怪我をしていた婆さんを拾って、その家に居候《いそうろう》したことを覚えていられるだろうか。その時、自分はどこにいて、何をしていて、今日のことを思い出すのだろう。

考えたところで仕方がなかった。未来が分かれば苦労はない。

――だけど。

出来れば、普通に暮らしていたいと思った。たとえば刑務所の中とか、どこかの収容所とか、そんな場所で、膝《ひざ》を抱えて昔のことを思ったりは、したくない。悪人ばかりに囲まれて、自分の犯した罪を責められ続けて。そんな暮らしは嫌だった。

だが、忘れたわけではない。そうなる可能性は、十分すぎるくらいにあるのだ。いや、そうならない可能性の方が、ずっと低い。何しろ翔人は、連続強盗犯の上に、殺人犯だ。いっそ十代の頃にやっておけば、もう少し罪だって軽くて済んだだろうが、いつの間にか二十歳を過ぎてしまっているのだから仕方がない。捕まれば重罪は覚悟しなければならない。下手をすれば無期懲役か、死刑だろうか。

——死刑だって？　この俺が？

急に、全身をゾクゾクとする感覚が走った。今度こそ本物の悪寒だ。

日本の死刑は、確か首つりだと聞いている。人前で無理矢理に首つり自殺をさせられるようなものだと、誰かから聞いたことがある。十三段の階段を上るのだそうだ。どうして十三なのか知らないが、縁起の悪いことには、この数字を使うのだとも聞いた。すると、その先に輪っかになっている縄がつり下がっている。首をかける。その途端に、すとん！

ぶるっと身体が震えた。翔人は慌《あわ》てて「天才バカボン」を閉じ、段ボール箱に放り込んだ。何だか急に、小便をしたくなった。

考えないようにしたい。考えたくない。

階段を駆け下り、そのままの勢いで便所に走ろうとしたときだった。玄関の戸がガラッと開いて、黒ずくめの格好をした男が現れた。翔人は思わず「ひいっ」と小さく叫び声を上げ、二、三歩、後ずさった。

「何じゃ、その『ひいっ』ちゅうとは」

「な――何だよ、シゲ爺か」

「遅うなったのう。待ったかい」

ゴム引きの雨合羽《あまがっぱ》を着込んだシゲ爺は、フードの下に帽子を被り、その帽子の庇《ひさし》から雫《しずく》を垂らしながら、ほうっと息を吐き出している。

「待ったなんてもんじゃ、ねえって。どこ行ってたんだよ」

「ちいっとな」

「ちいっとって」

「仲間がな、死んだもんじゃけえ」

「え――」

「明け方にな」

シゲ爺の帽子の庇からは、ぽつり、ぽつり、と雫が滴《したた》っている。その雫が、翔人の目には、シゲ爺の涙のように見えた。

「一応、最後の挨拶《あいさつ》にだけ、行ってきたばい」

「死んだって――何で」

「最後には、まあ、何とか不全とか、肺炎とか、そういうことじゃろうっちよ。もう何年も前から、身体中、癌《がん》にやられておったけえ、まあ、よくもった方だの」

シゲ爺は喋りながら雨合羽を脱ぎ、長靴も脱いで、家に上がり込んでくる。さすがに友だちの死に際して、シゲ爺もショックを受けているのかも知れなかった。この分では、すぐに出かけるつもりなど、ないのかも知れない。

「おめえ、出かける用意、しちょうけや。わしぁ、ちいっと、クソしてくっから」

「――何だよ、それ」

「ずっと我慢しちょったとよ。こんな天気じゃあ、野グソも出来やせんし」

歩きながら、もうズボンのベルトを緩めて、シゲ爺はすたすたと便所に向かう。翔人は、自分も便所に行くつもりだったことを思い出しながら、「しょうがねえな」と呟いていた。

結局、その日は町まで下りて行って、祭りの準備を手伝うことになった。死んだ友人の家に、悔やみに集まった連中で、そういう相談がまとまったのだそうだ。ついでに言えば、その家の遺族の意向もあって、友人の弔いは、平家祭りが終わった後でしめやかに執り行われることになったのだという。

「まあなあ、昔っから人騒がせなことの好きな奴じゃったけえ。皆が祭りの準備やら何やらで、てんやわんやのときぃ、余計な仕事を増やそうっちゅうとこが、いかにもあいつらしいわい」

いつもの軽ワゴン車を運転しながら、シゲ爺は一人で喋っていた。心なしか、普段よりも口数が多いようだ。

「早えとこ、手ぇ打たんと、えれぁことになるわい」

「――何が」

「こん村」

「何で」

雨道をごとごと走りながら、シゲ爺はちらりとこちらを見る。

「わしぁ、四千人はいると思っちょったんじゃ。じゃけんど、もう何年も前に、切ったんじゃと、四千人は」

「ああ――この村の人口か」

「三千七百とか、そんぐれえらしいとよ。今日これで、また一人、減ったし」

東京ドームが満杯で五万五千人なのだから、三千七百といったら、十分の一などというものではない。十五分の一程度だろうか。あの球場に、十五分の一しか観客が入っていない様子を想像して、翔人も思わずため息をついた。確かに、それは少ないと思う。要するに村人全員で東京ドームを借り切ることさえ、出来ないということだ。都会ならば毎晩のように、満員に出来る場所なのに。

「平家祭りだなんち、言ってられんかも知れんの」

「どうして、そんなに人口が減ったのさ」

曲がりくねった道を、軽ワゴン車はゆるゆると下りた。フロントグラスにはひっきりなしに細かい雨粒が当たり、それを、ギシギシと音を立てるワイパーが、やたら遅いペースで左右に散らしていく。

「そりゃあ、おめえ」

シゲ爺の左手が煙草《たばこ》を探る。その時、雨粒だらけのフロントグラスの向こうに、突然、対向車の黒い影が現れた。プップーッとクラクションの音がして、シゲ爺は「おっと」と言いながら素早くハンドルを切った。

「嫌な天気になったなあ」

「本当にのう」

「とうなく駄目じゃったって？　角屋んとこのおっちい」

「ああ、朝方、顔だけ見に、行ってきたばい」

すれ違いざまに停車した二台の車は、互いに運転席の窓を開けて話を始める。翔人は、相手の車のハンドルを握る男を、見るでもなく眺めていた。すると、五十過ぎくらいに見える男は、ちらちらと翔人の方を見た後で、「お客さんかい」と言った。煙草に火をつけ、ぱっ、ふうっ、と音を立てながら、シゲ爺は「いんにゃ」と首を振る。

「おスマじょうんとこのな」

「ああ、こん人が。へえ、立派な若者じゃねえかい」

立派な若者。

誰に向かって言っているのだと思った。まさか、この自分がそう見えるというのだろうか。翔人は思わずにんまりと笑って小さく会釈《えしやく》をした。

「おや、笑うと確かに似とるのう。へえ、そうやあ」

「昨日までは山仕事を手伝ってくれちょったけんど、今日はほれ、こんな天気じゃけえ。祭りの準備の方をの」

「そうかい、そうかい。どっちにしろ助かるわい。頼むの」

よく陽に焼けて、四角い大きな顔をした男だった。愛想の良い笑顔を見せられて、翔人はもう一度会釈をした。少なくとも自分の倍以上はあると思うが、それでも、久しぶりに「若い人」と話をしたような気分だった。

11

それから昼まで、翔人はシゲ爺《じい》に連れられて見知らぬ家に行き、シゲ爺と似たような背格好の老人に囲まれて、木の皮のように見える干しタケノコの袋詰めを手伝った。ゆっくりと、しかし休むことなく手を動かしながら、老人たちはぽつり、ぽつりと言葉を交わす。中には皺《しわ》の中に顔があるような老人もいて、彼らの言葉は、翔人にはほとんど理解できないものだった。

「悪いけんど、人の手が足りんとよ」

そのまま昼になり、出された蕎麦《そば》と炊《た》き込《こ》み飯を頬張り、大皿に盛られた魚の煮付けや菜豆腐、漬け物などに箸《はし》を伸ばしているとき、その家の軒先に、中年の太った女が現れて、誰にともなく声を上げた。花柄のエプロンをして、大きな前歯の片方は縁取り金歯になっている。何じゃ、どげんした、と方々から返答があって、彼女は、その家の主人らしい老人や、その周辺にいる老人たちと何やら話し込み始めた。

「本当なら一昨日には届いてなきゃあならんのに、植木鉢も土も、届くのが遅れたもんだから。ついでにサイズが違っとるとよ。いくら文句言ったたって、これからじゃあ、とても交換してもらっとる時間なんてないから、もう、しょうがないってことになったんだけんど」

女の言葉は標準語に近かった。

「今日と明日で全部、片付んといかんちゃけど。その、鉢の大きさ違う分、隙間《すきま》に土を入れんと格好がつかんし、時間がかかってねえ」

その時、シゲ爺がひょいとこちらを振り返った。

「おめえ、行ってやれ」

それまで、翔人の存在などほとんど無視するというか、気づいてもいなかったように感じられた老人たちの視線が、一斉にこちらに注がれた。翔人は蕎麦の汁をすすりながら「え」と言葉を詰まらせた。

「そうしてもらえる？　あらあ、有り難いわ」

縁取り金歯の女は、巨大な胸の前で両手を合わせるような格好をして笑っている。

それから、はっと思い出したように「この子は」とシゲ爺の方を見た。

「アレだ。矢立《やたて》の、藁屋《わらや》のよ」

「ああ、おスマじょうんとこの！」

聞いてる、聞いてる、と女は頷《うなず》く。

りになるぅ！」


「そりゃあ、ええところにいてくれたわ。若い人ならなおさら助かる。やった！　頼りになるぅ！」

　女が喋《しゃべ》っている間に、翔人は残っていた蕎麦の汁を飲み尽くして、ふう、と息を吐き出した。それを待ちかねていたかのように、女が「ねえ」と身を乗り出してくる。

「で、おスマじょうはどう？　怪我《けが》したって聞いたけどね」

「もう――ほとんど治りました。病院には行ってるけど、大丈夫です」

「そりゃあ、よかったねえ。あそこは町からも遠いからね。ちょっとやそっとのことじゃあ、簡単にこっちまで下りても来られんし、下手なところでぶっ倒れてたって、なかなか人に見つけてもらえんかも知れんから」

「虫の知らせっていうんじゃろなあ。そういうときに限って、ひょっこり帰ってきたっちゅう話じゃけえ」

　この何時間かの間、ひと言も口をきいた記憶のない老人が、当たり前のように頷きながら呟《つぶや》いた。すると周囲の老人たちも一様に、うん、うん、と頷いている。

「そういうのが、血だわ。血」

　取りあえず、この村では、会ったことはなくても自分のことを知らない人間はほとんどいないらしい。「おスマじょうの孫」として。それだけは確かだった。翔人は、黙ったままで腰を浮かした。

「で、何やれば、いいんスかね」

年寄りたちの見上げる中で女に歩み寄る。背後からシゲ爺の「おおい」というかけ声が聞こえた。

「しっかり手伝ってやれよ。帰るときぃ、寄ってやる」

翔人は、シゲ爺の方を振り向いて小さく頷いた。女は待ち構えていたかのように、満面の笑みを浮かべてこちらを見上げている。

「簡単な作業。花をね、一つずつ小分けしていってもらいたいとよ」

「花を」

「祭りの間中、あちこちに飾るのに。何百個も作らにゃならなんちゃわ。あんた、学生さん」

「――そうですけど」

「助かるわあ。爺ちゃんや婆《ばあ》ちゃんたちだと、やることは丁寧でいいんだけど、何しろ手が遅いもんだからね」

靴を履いている間中、隣で喋っていた女は、翔人が立ち上がると、また、にんまりと笑った。

今度はその女の運転する赤い軽自動車に揺られることになった。すぐ脇《わき》を渓流が流れている道は、この村に来た最初の日に、婆さんを病院まで連れてきたときにも通ったから、多少なりとも馴染《なじ》みがある。婆さんの暮らす地域よりは少なからず町らしく開けていて、立ち並ぶ街灯には「平家祭り」と染められた小さな旗のようなものが飾られていた。

「何しろ、年に一度のお祭りだもの。ねえ、わざわざ遠くから来る人たちを精一杯、もてなしたいじゃない？」

「はあ」

「ひえつき節大会とか、ひえつきラリーなんかのときよりも、やっぱり、もっとずっと賑《にぎ》やかになるわけだしねえ、大勢の人が来るんだし」

「ひえつき――？」

ハンドルを握りながら、女は「知らんの？」とこちらを見る。

「父さんたちから聞いてない？　ひえつき節って」

翔人が「さあ」と小首を傾《かし》げかけたときだった。突然、隣から耳にキンキンと響く声が上がった。

庭のさんしゅの木に
鳴る鈴かけて
鈴の鳴るときゃ
出ておじゃれ

その、声の大きさと耳慣れない調子に、翔人は呆気《あっけ》にとられて隣を見た。女は得意そうな顔で笑っている。

「知らんの、ひえつき節。こう見えてもね、私も毎年、大会に出てるから」

「——すげえ声。それに——日本語じゃねえみてえだ」

女はげらげらと笑いながら、立派な日本語だと言った。

「どういう耳、してんだか。最近は若い人でも、ええ喉《のど》聴かせる人が出るんだけどね。何せ、あんた、ここは民謡の故郷みたいなとこなんだから。お兄ちゃんも、せっかく祖母ちゃんのとこにいるんなら、一曲くらい歌えるようになって帰ったら」

女が喋っている間に、車は再び建物の前に着いた。今度は個人の家というよりも、何かの施設か倉庫のようだ。車を降りると、雨はほとんど止《や》んでいたが、全身を冷たく湿った空気が包み込んだ。吐く息が白く見える。この雨で、何とか晩秋に踏みとどまっていた季節が、一気に冬に突入した。そんな感じがした。

「みっちゃん！」

運転席側から回り込んできた女が空気を震わすような張りのある声を上げた。すると、ぽっかりと口を開けたように見える建物から、ジーパン姿の若い女が姿を現した。

「ええ人が見つかった！　この人に、手伝ってもらうとええよ！」

どこか怪訝《けげん》そうな表情で、こちらを向いた、その顔を見た瞬間、翔人は文字通り、息が止まりそうになった。昔のアメリカのアニメのように、心臓がハートの形になって、身体の前に十センチか二十センチくらい、どおんと飛び出したような感じだ。そして、その思いもしなかった身体《からだ》の反応に、翔人自身が一番うろたえた。

「ほら、ダムの方に行く途中の、かなえちゃんの祖父ちゃん家《ち》、あるじゃろう。あそこに寄ったらね、今日は爺ちゃんたちが皆で、やっぱり祭りの準備をしちょってね」

「じゃあ、その人——」

女は、小首を傾げるようにこちらを見る。ほとんど息も出来ないまま、翔人はその場に立ち尽くしていた。一つに束ねた長い髪は、根本から十センチ近くは黒く戻っているが、先の部分は明るい茶色だ。小さな顔には短めの前髪だけがかかっている。白い顔は、面長気味の丸顔で、すっと鼻筋が通り、まるで陶器のように静かで、美しかった。

——久しぶりだからか？　若い女が。

自分の動揺を鎮《しず》めるために、咄嗟《とっさ》にそんなことも考えてみた。だが、どうだろうと構わない。いずれにせよ、ドキドキしていることに変わりはない。耳の辺りがカッと熱くなっている。もはや、彼女から視線を外すことも、釘付《くぎづ》けのままでいることもためらわれるくらいだ。何よりも、その吸い込まれそうな瞳《ひとみ》に、射すくめられたような気分だった。

「かなえちゃん家と、何か？　あの子ん家に、そんな人——」

「違うと、違うと。この人はねえ——」

太った中年女は、いつもの説明をする。その間も、翔人はただ、目の前の女性を見つめていた。それにしても、何と綺麗《きれい》な目をしているんだろうか。深くて、真っ直ぐで、それに、何か言いたげな感じで。

「——だから、手伝ってくれるって。向こうの作業が終わったら、帰る前に迎えにきてくれるって話だから。ねえ？」

隣からの視線を感じて、翔人はようやく我に返った。

「みっちゃんていってね、彼女は、ええと今年のお盆過ぎだっけ？　こっちに、帰ってきたのね。中学を卒業してからだから――」

みっちゃんと紹介された女性は、ほんの少しだけ頬を動かして「ちょうど十年」と言った。それは、微笑《ほほえ》みと呼ぶにはあまりにも素っ気ない、むしろ怒ってさえ見えるような程度のものだったが、それだけで翔人には、もう周囲の空気がふわりと変わったように感じられた。

「お兄ちゃんの歳《とし》、知らんけど、まあ大体、みっちゃんと近い感じだし、話も合うんじゃない？　冷えるからね、ストーブにあたって、身体、温《ぬく》めながら頑張ってよね。あれ、他の人たちは？」

「皆、帰りました。絵里ちゃんは、子どものお迎えで、あとの人たちも、お婆ちゃんの食事の世話とか、シイタケの袋詰めとかで」

「何よ、それ。じゃあ、みっちゃん一人になっとったと？　じゃあ、余計、お兄ちゃんに来てもらってよかった。ねえ」

いつの間にか「お兄ちゃん」になっていた。それからもまだ数分間、女は他愛のない世間話をしていたが、やがて手元の時計に目を落として「こうしちゃ、いられん」と言いながら、せかせかとした足取りで車に戻っていった。白い霧が立ちこめている中に、赤い軽自動車の姿は最後にウィンカーの黄色いライトを見せながら、消えてしまった。

「何だかんだ言って、自分だって逃げてるくせに」

辺りに静寂が戻ったかと思うと、「みっちゃん」と呼ばれた女性が呟いた。地味なグレイのトレーナーの上からフリースのパーカーを羽織り、紺色のシンプルなエプロンをした彼女は、真っ白い息を吐きながら、遠い目をしている。

こんな村に、どうしてこんなに若くて綺麗な女がいるのだろうかと思いながら、思わずその横顔に見とれていると、彼女はふいにこちらを見た。翔人は、びくんとなるくらいに緊張した。

「黒木といいます。黒木、美知」

「あ——黒木？」

「そうだけど。何か、変？」

「だって——この村は、那須《なす》と椎葉《しいば》だけだと思ってたから」

美知は一瞬「え」というように首を傾げ、それから初めて口元をほころばせた。

「いくらうちの村だって、他の名字の家だって、ないわけじゃないわ。他にも色んな名前の人が住んでる」

「あ——あ、そうなんだ。まあ、そうだよな。それで、普通だもんな」

「そう。それで、普通」

くすくす、と笑われて、翔人はますます心臓が高鳴るのを感じた。何て軽やかで、良い雰囲気なのだろうか。まるで花の香りでもしてきそうだ。くるりときびすを返して倉庫に戻っていく彼女の後を追いながら、翔人は口の中で「黒木美知」という名を繰り返していた。

「すると、あなたが噂《うわさ》の彼ね」

シャッターを中途半端に上げたままの、薄暗い倉庫に入ると、湿った土の匂《にお》いが広がって、美知の声が響いて聞こえた。

「噂？」

「矢立のおスマ婆ちゃんが怪我したときに、ちょうど帰ってきてた孫って。ええと――名前、聞いてもいい？」

「――いずみ」

一瞬、ためらいがあった。けれど、この二週間あまりの間に大分、慣れてしまっている。それに、まったくの嘘《うそ》というわけでもないのだ。ただ、名字と名前とを皆が勝手に誤解しているだけのこと。そう自分の中で言い訳をするのにも、もう慣れた。

「椎葉いずみくん、か。どんな字、書くの」

今度はドキリとした。これまでに一度も、聞かれていない。翔人はほとんど口ごもりそうになりながら、自分の手のひらに反対の指で文字を書くようなふりをしながら「いずみって、その」と言った。名字を聞かれるたび、伊豆半島の伊豆に、見物の見る。子どもの頃から、そう説明してきている。

「普通の、泉？　水の湧《わ》く」

翔人が「そうそう」と大きく頷《うなず》くのを、美知は、大して興味もなさそうな表情で眺めると、すぐに翔人から視線を外す。

「じゃあ、やってもらいたいこと説明するから」

だだっ広い倉庫の、かなりのスペースには、黒いビニール製の苗ポットに植え込まれた小さな花が海のように広がっていた。赤、黄、ブルーなどの小さな花々は、薄暗い倉庫の中で、まるで星がちりばめられたように、けれど寒そうに見える。その数は、ざっと見積もっても千や二千では済まないだろう。

「要するに、ここにあるお花をね、全部、あっちの植木鉢とか、プランターに植え替えるだけ」

確かに花の横には、白いプラスチック製の植木鉢や細長いプランターなどが山積みにされている。さらに、ビニール袋に入った土も、いくつも積み上げられていた。

「本当なら、苗ポットの大きさに合う植木鉢さえ注文しておけば、一個ずつ入れていくだけで済んだわけ。それが、とんだ手間。ちゃんと発注したっていうんだけど、きっと嘘よ。最初から間違ってたんだと思う」

「そう、なの」

「発注したのは、さっきのおばちゃん。見てて感じない？　口で言ってるほど、実際には怒ってないんだもの。私、子どもの頃から知ってるけど、本当に自分が悪くないと思ったら、ものすごい剣幕で怒る人よ、あの人」

美知の表情とその口調は、冷ややかというのでもなく、不機嫌そうというのでもないと思う。だが、少なくとも愛想はなかった。可愛げもないと思った。そして、そのままの口調で「ちっとも変わってやしない」と呟《つぶや》く。きゅっと結んだ口元に、悔しさのようなものが現れた。何かを突き放すような、諦《あきら》めともとれる何かがあった。

――帰ってきたくなかったのか。

ふと、そう思った。

さっき、彼女は確か、中学を出てからちょうど十年間、村を離れていたと言っていたと思う。つまり、今は二十五か六か、そんなところだ。だが今は、ほとんど素顔に近い様子だし、パッと見た感じでは翔人と同じくらいか、もう少し下だと言われても分からないと思う。そんな若々しくて美しい人が、確かに、どうしてわざわざ山奥の村に帰ってきたのかとも、思う。結婚のため、とか。どうなのだろう。左手の薬指に指輪は光っていないようだ。だが、そんなことでは判断は出来ないかも知れない。

「とにかく、こんな山奥じゃあ、交換してもらおうにも時間がかかって間に合わないでしょう？　だから、何とか格好がつくようにしなきゃならないわけ」

作業の説明をする美知の後ろからついて歩きながら、翔人は様々に思いを巡らし、一方で、作業が単純であることを密《ひそ》かに喜んだ。この程度のことならば、特に良いところは見せられないかも知れないが、失敗して笑われる心配もない。

「軍手とかシャベルとかは、そこにあるのを適当に使って。新しいの、出してくれて構わないから。じゃあ、始めようか」

それだけ言うと、美知はふう、と小さく深呼吸をして、薄暗い倉庫の中を移動し始めた。迷うことなく一人で動く、その姿を眺めながら、翔人も慌《あわ》てて後に従った。

「ただでさえ人手が足りてないときに、よくもこんな面倒を増やしてくれると思うけど、お祭りの最後で、お客さんに配るかも知れないっていう話なんだって。だから、あんまり好い加減なことも出来ないのよ」

まず、白い植木鉢の底に、小石のようなものを数センチずつ入れていく。そこに、さらにわずかに土を入れる。苗ポットから花を移す。鉢との隙間《すきま》に土を入れる。ある程度の数がまとまったら、まんべんなく水まきをしてなじませる。

「午前中は雨だったから、外に並べておけばよかったけどね。やんだらやんだで、作業ははかどるけど仕事は増えるわね」

一連の作業は、取りあえずは午前中に手伝っていた人たちの手で、流れ作業で行うようになっていた。広いスペースに、まずは白い植木鉢を並べていく。その後から、翔人がビニール袋に詰められた小石を少しずつ入れていく、といった具合だ。

――中学を卒業して。

美知は、高校へは行かなかったのだろうか。高校へ行かないで、すぐに就職したということか。どこで、何をしていたのだろう。

作業の合間、翔人はそんなことばかりを考えていた。広々とした薄暗い倉庫内にいて、美知は常に翔人から離れている。無論、この静寂の中で、他に人気もないのだから、話しかければ簡単に声は届くだろうが、そういう雰囲気でもない。

せめて、結婚しているのかどうか、それだけでも知りたいと思った。いや、結婚していなくても、彼氏がいる可能性がある。あの顔立ちと雰囲気で、彼氏のいない方がおかしいかも知れない。

――待てよ。彼氏がいるんなら、わざわざ都会から帰って来るってこたあ、ねえんじゃねえのか？　こんな山奥に。

それとも、この田舎に相手がいるのか。幼なじみとか。

この何日間も、いや、もしかすると何カ月か、何年間か分からないくらいの間、まるで働いたという感じのしていなかった脳味噌が、必死で何かを考え出そうとしている気分だった。だが、ずっと身体を動かしていなかった人間が、突然かけっこでもするときのように、すっかり硬直してしまっていて思うように動かない。何を考えたいのかが、よく分からない。

――関係ねえじゃん。

そう。少なくとも、いつもの翔人なら、そう思っておしまいのはずだ。これまでずっと、そうしてきた。何を見て、何を感じそうになっても、「関係ない」と思うことですませてきた。実際、世の中のすべては翔人自身とは関係のないことばかりだ。たとえば、すぐ隣にいる人間が雷にうたれて死んだとしたって、翔人自身の人生に、どんな変化が起こるわけでもない。両親の離婚だって、それぞれの再婚だって、弟だけが同居を望まれたことだって、翔人とは関係がない。手提げ袋をひったくられた婆《ばあ》さんのことだって、背中を刺されて死んだ女のことだって、確かに翔人の仕業には違いないにせよ、彼女たちの人生そのものは、翔人には無関係のものばかりだ。

それが今回に限って、こんなに詮索《せんさく》したくなる。この、今のところ名前しか知らない、出会ってから三十分とたっていない女に対して、どうしてこうもあれこれと質問が思い浮かんでくるのだろうか。取り立てて、女が欲しいとばかり思っているわけでもないのに。恋愛とか、惚《ほ》れたとか腫《は》れたとか、そういう感覚は自分とは無縁のものだと思ってきているのに。

——要するに、気のせいだ。だって、関係ねえもんな、実際。

そう思いかけたとき、視界の片隅で、美知がすっと腰を伸ばして立ち上がり、ふう、とため息をついた。自分の腰に手を当てて、何か考えるように、白く広がる植木鉢の海を眺め回している。

関係ない。そうは思う。けれど、そう思った瞬間から、もう今のため息の意味を知りたかった。ただ、草花を植え替えるという単純な作業のためだけに、あんなに深いため息が出るものだろうかと思った。

翔人の位置からは、一つに結わえた茶色い髪と、うつむきがちの白い顔がほんの少し見えるばかりだ。それなのに、美知の後ろ姿はずい分ちっぽけで、その上、ひどく淋《さび》しそうに見えた。咄嗟に、今にも泣き出すのではないかという気がして、翔人は密かに慌てた。

「あの――」

気がついたら、声が出ていた。薄暗がりの中で、美知が振り返る。

「なに」

「いや――どうしたのかなと、思って」

今度は美知は、はっきりとこちらを向いた。

「何が」

静寂の中に響く声は、決して大きなものではなく、むしろ囁《ささや》くように密やかに聞こえた。翔人は、自分の心臓がどくどくと奇妙に脈打つのを感じた。

「ため――息、とか、ついてたから」

少しの沈黙が、こんなにも恐ろしい。人の言葉を待つことが、こんなに怖いと思ったことはなかった。

「何でもない」

やがて、美知の静かな声が呟くように聞こえてきた。そして彼女は再び鉢植えの列に向かって屈《かが》み込む。翔人に、もう言えることはなかった。かなり高い位置にある屋根から、パラパラという音が響いてきた。

「やだ。また降ってきた」

しゃがみ込んだまま、美知が天井を見上げる。それから間もなく、広々とした倉庫の中は、屋根を叩《たた》く雨音に埋め尽くされた。美知と二人だけで、雨に降り込められている気分で、翔人は作業を続けた。

12

椎葉村には高校がないということを知ったのは、その晩のことだ。いつものように婆さんと二人で食事をしているときに、教えられた。

「中学校だって、今は二つだけ」

「二つ？　どこにあんのさ」

「ダムのそばと、もう一つは、もっと諸塚《もろつか》に寄った方」

「じゃあ、近いのがダムの方？　それだって役場より先じゃん」

「そうだねえ」

「こっから役場辺りまで行くのだって、あんなに時間がかかるんだぜ。そんな道のり、通えんのかよ。どっかの県の三分の一もある村に、どうして二個しかねえんだよ」

「子どもが少ないけえ、しょうがにゃあ。じゃから、みんな寮に入るとよ」

「寮？　中学の？」

「学校の隣に、寮があって。月曜から金曜までは、寮で暮らすっちゃろ」

なるほど、そういうことか。イノシシの肉を嚙《か》みしめながら、翔人は想像を巡らせた。中学校から寮生活。少し憧《あこが》れるが、やはり、何となく可哀想な話だ。要するに小学六年生までしか、親と一緒に暮らせないということになる。それは――翔人よりも早い別れということではないか。

「淋しいんじゃねえのかな、そんなの」

「しょうがにゃあの」

「だけど」

「それが、こん村の運命《さだめ》。こん村に生まれたもんの、運命」

そう言われてしまえば、返す言葉はなかった。翔人の頭には、黒木美知の姿が思い浮かんでいた。彼女もかつて、そういう思いを経験したのだろうか。

「じゃあさ、中学出たら？　皆、就職か？」

婆さんは、もしょもしょと口を動かしながら、素っ気なく首を振った。中学を卒業して、そのまま就職する子どもは、今は極めて少数なのだそうだ。

「皆、村から出てね、外の高校に行くのう。高校に行って、中には大学にも行ってね、国のことをば考えられるような、立派な人に育って欲しいって、親たちは皆、そう思っちょるけえのう」

「――この村から」

「こんげな村だからじゃ」

山奥の村で生まれて育って、中学一年生から親元を離れ、そして子どもたちは、高校からはいよいよ、よその土地へ出る。他に選択肢のない人生というものを、翔人はぼんやりと考えた。当たり前のように、その道を進む者もいるだろう。だがきっと、「どうして」「なんで」と思いながら、毎晩のように枕《まくら》を濡《ぬ》らす子どもだっていると思う。そんな子どもの気持ちが、翔人には分かると思った。かつての翔人自身がそうだったように。

「都会で生まれた子どもにゃ、こげえな気持ちは分からんじゃろうけんど」

婆さんが、ちらりとこちらを見て言った。翔人は、そんな婆さんを見返し、「そんなことも、ねえよ」と答えた。

「そりゃあ、こっちの子みたいに、中学から寮に入らなきゃあ、どうしようもないっていうことはないかも知れないけど。だけど、その家によって色んな事情があるっていうのは、一緒だからな」

「色んな、ねえ」

「要するに、どこに住んでたってさ、思うように生きられるガキなんて、そうそういるはずねえってことだよ。いくら都会に住んでたって、親の転勤で転校するとか、外国に行くことになったとか、親がリストラにあって夜逃げしたとか、借金地獄とか、離婚とか」

婆さんは箸《はし》を宙に浮かして、ぽかんとこちらを見ている。翔人は、さらに何人か、大人の人生に振り回されなければならなかった子どもの話をした。いずれも保育園の頃から、同じ団地とかアパートとか、同じ学校とか、または噂《うわさ》を聞いただけという、様々な子どもたちの話だ。

「母ちゃんが男と逃げて、残された父ちゃんがアル中になったって子もいたな。毎日、すげえ殴られて、年がら年中、痣《あざ》が出来てた。直接は知らねえけど、心中に巻き込まれそうになったヤツもいたっていうしさ。三人兄妹だけど、全部、親父が違うって子もいたよ。去年と今年と、父親参観日のときに来る人が違うんだって。遠足のとき、弁当にカップラーメン持ってきてたヤツはさ、その日、うちに帰ったら自分以外の家族全員、どっかにいなくなってたんだって」

翔人の周囲が全員、そんな子どもばかりだったというわけではない。だが、非常に珍しい、という話でもなかった。幼い頃から、一年に一度か二度は、そんな話を聞いてきた。だから翔人は、自分の家庭はまだましな部類だと思っていた。少なくとも、両親は殺し合いまではしなかったし、おふくろは家中の物を投げて壊したが、翔人や弟を刺したりしたことはない。

「本当かい――今どきの親ちゅうのは。本当に、そげえなふうになっとるとかい」

「全部が全部ってわけでも、ねえとは思うけどさ。婆ちゃん、渋谷辺りにいる女の子、知らねえ？　顔を真っ黒に塗りたくってさ」

「渋谷って？」

「――東京にあんだ。そういう街が。そこに来てるガキどもなんてさ、家に帰らねえどころか、風呂にも入らねえで、その日に知り合った男と、色んなとこを泊まり歩いてるようなのが、ゴロゴロしてんだ」

婆さんは、まるで想像がつかないといったような顔をしている。翔人は、「たまにはテレビでやってるよ」とつけ加えてやった。

「下手すりゃあ、まだ小学生だったりするんだぜ。それが、男とヤッて、小遣い稼いで、そうやって生き延びてんだ」

「男とヤる？」

「エッチするんだよ」

「エッチって何エ？」

った。まじまじとこちらを見る婆さんに、それ以上、どう説明すれば良いのか分からなかった。翔人は少しの間、腕組みをして考えた。

「要するに——男と女の、アレだって。子どもが出来ちゃうようなことだよ」

婆さんは、丸まっていた背中がわずかに伸びるような姿勢になって、顔をくしゃりとさせ、「何ちゅうこと」と呟《つぶや》く。

「じゃって、小学生じゃろうが」

「そうは見えないらしいんだな。化粧もバッチリだし。だけど、小学生だって分かってて、相手にしたがる男もいてさ。二万とかそれくらい、払って」

「——恐ろしい話じゃねえ。東京は、そげえなことになっとると」

「東京だからかどうかは、分かんねえけど。とにかくな、それだって、親が心配しねえんだ。親は親で勝手なことやってるから。だから、考えてみりゃあ、この村の子よりも早く、自立してるってことかも知れねえよ」

ふうん、へーえ、と婆さんはしきりに頷《うなず》いていたが、やがて急に疲れたように背中を丸め、不愉快そうな顔になって、ふん、と鼻を鳴らした。

「こんげ山奥からじゃって、いっぱい兵隊を送り出したとは、何とかお国を豊かに、平和にするためだったはずだっちゅうとに。何のために、皆、死んでいったとか、まるで分からんようになったねえ」

戦争というのは、第二次世界大戦のことか。また、ずいぶんと話が遡《さかのぼ》ったものだ。

翔人は拍子抜けしたような気分で婆さんを眺めていた。

「何もない中から、苦労して育てて、そんなことになった日にゃあ、かなわんねえ」

「苦労して育てでりゃあ、そんな子どもにはならねえんじゃねえの」

「じゃあ、誰が悪いとかい」

「そりゃあ、親、だろうな」

「その親は、どうして、そんなことになるとかいの」

「その親がまた、悪いんじゃねえの？」

「——私らのことかね」

一瞬、言葉に詰まった。翔人はそっと婆さんの顔色をうかがった。

「そういうことに、なるじゃろうよ。ぼうが、ちょうど婆ちゃんの孫くれえに見えるっちゃから」

深い皺《しわ》に囲まれている婆さんの顔は、よほど表情を動かさない限りは、機嫌の良し悪《あ》しなど分からない。うつむきがちに、ただもぐもぐと口を動かしているだけだと、怒っているのか、悲しんでいるのかもまるで分からなかった。

「――まあ、そういう計算も、出来るとかも知れんけど」

「――戦前も戦後も、とにかく必死で生き抜いて、子どもたちを育てたはずじゃあ、なかったとかねえ。日本中、どこの親だって」

「――そんな親ばっかりじゃあ、なかったのかもな」

婆さんは、ちろりとこちらを見て、また鼻を鳴らす。

「ぼうには、想像もつかんじゃろうねえ。あん頃の日本に、必死でないもんなんち、おらんかったばい。国を守るためにも、自分らが生き抜くためにも、とにかく今日明日の食べ物を何とかするだけじゃって、都会の人らは都会の人らで、田舎のもんは田舎のもんで、誰も彼もが、もう必死じゃったばい」

戦争の話。

昔、学校の教科書で読んだことがある。テレビの番組で見たこともあった。日本が原爆を落とされた唯一《ゆいいつ》の国であることも、知っている。だが、それ以外のことは、何も知らない。聞いたことはなかった。翔人は、妙に神妙な気分になって、婆さんを見ていた。この婆さんは、戦争を経験しているのだ。そう思うと、何かすごい人のようにも見えてくる。

「そうやって、自分らは食べるもんも食べんでも、子どもたちを育てたとばい。これからの日本をよくする子たちじゃと思って。豊かな日本を作る子たちじゃと思って」

小さな背中を丸めて、ほうっと天井を見上げて、婆さんは「それが」とかすれた声を出した。

「犬猫みたいに子どもを放ったらかす、そんな親たちになっとるとは、思いもせんかった。それじゃあ、婆ちゃんの家の息子らも、ここになんか帰ってこんわけじゃ。孫たちだって、どこでどげんなっちょるか、分かりっこ、ないわけじゃの」

「——だから、そんな奴らばっかりじゃあ、ないんだってば。普通に、まともな人だって、ちゃんといるって」

だが、婆さんは、それきり口を噤《つぐ》んでしまった。

「村の外にゃ、出したくはないよねえ」

やがて、婆さんはぽつりと呟いた。

「そんなことを言っとったって、仕方がにゃあけえ、親も子も、黙って別れ別れになるっちゃけどねえ」

そして婆さんは「よいしょ」と立ち上がり、黙って食器を流しに運び始めた。ゆっくりと、何度も茶の間と台所を往復する、その小さな姿を眺めながら、翔人は、どうしてこんな話になってしまったのだろうかと後悔していた。元はといえば、黒木美知の話を聞きたかったからだ。だから、中学校の話になった。まさか、この村の子どもたちの大半が、中学校入学から親元を離れなければならないとは、思ってもいなかった。そして、中学を卒業すると同時に、村を後にする。

――要するに。

要するにこの村には、十代後半から、おそらく二十代くらいまでの人間がほとんどいないのだということに気がついた。中学を卒業しても進学せずに、この村に残る子どもなど、極めて少数に違いない。この村には、ある年代の層が、ごっそり抜け落ちているのだ。

それならば、人手が足りないのも無理もない。翔人がやたらと目立ち、また重宝がられるのも当然かも知れなかった。外の社会に出て、その華やかさや便利さや、賑《にぎ》やかさや楽しさに慣れてしまったら、もうここへなど帰ってきたくはないと思う若者は、少なくないに違いない。都会にさえいれば、欲しい物は何でも手に入り、かなえたい夢は何でもかなうと思ってしまうのだ――そんなものは、幻想に違いないのに。

「ぼう、明日はどうするって？」

洗い物を終えると、婆さんはまた、こたつに足を入れ、今度はみかんを食べ始めた。

「祭りの方を手伝ってくれってさ。山は、もういいから」

「そうかね。そりゃあ、残念じゃったの」

そんなことはない。確かに山に入るのは、思っていたほど嫌いではないし、今日の昼過ぎまでは、やはり山の方が良いと思っていた。だが、事情が変わった。町に下りれば、何といったって黒木美知に会えるのだ。今日の午後いっぱいかけて、翔人だってずい分、頑張ったつもりだが、すべての花を植木鉢に移すところまではいかなかった。だから明日は続きをやる。

「婆ちゃん、黒木美知って子、知ってる？」

「黒木？　どこの黒木」

さあ。翔人は自分もみかんを頬張りながら首を傾《かし》げた。彼女に関して、翔人が知っていることといえば、その姿と名前だけだ。

「十年ぶりに帰ってきたっていう話だったけどな」

「十年ぶりに。いくつぐれえの人」

「俺より少し上、くらいかな」

婆さんはもぐもぐと口を動かしながら、ずい分、時間がたってから「知らんね」と言った。そんなことだろうと思った。べつに期待はしていなかった。

「色が白くてさ、結構な美人だぜ」

「そうかね」

「無口でさ、浮わついたところがなくって」

「ああそう」

「彼女も、じゃあ、中学を出てから、どこかに出てたわけだよな。なあ、高校って、どの辺に行くのさ」

「大概《てえげえ》は、延岡《のべおか》か日向《ひゅうが》かね」

延岡。聞いたことがある。翔人は少し考えて、そういえば、最後にヒッチハイクをしたのが延岡だったことを思い出した。そして、あの時のトラック運転手が、日向で道を変えたから、今、翔人はここにいるのだ。交番のある信号を大きく右に曲がったときの光景まで、鮮やかに蘇《よみがえ》る。あの時、翔人はナイフをちらつかせて、運転手を脅していた。まさか、ここが九州だとも思わずに。どこに連れていかれるかも分からないまま。そして数時間後、闇《やみ》の中に放り出されたのだ。すべてはそこから始まった。

「ぼう」

「ああ——うん？」

「その子が、気に入ったと」

急に聞かれて、翔人はまたもや口ごもらなければならなかった。そんな風に率直に何かを尋ねられたことがあっただろうか。

「——そういうんでも、ねえよ。気に入ったって——だって、今日、たった一回、会ったっていうだけなんだしさ。気に入ったとか、入らねえとか、そういうんじゃなくて。ただ、何ていうか、へえ、と思って——」

「向こうには、ぼうを何と言うたと」

「——シゲ爺とか、皆が。婆ちゃんとこの——アレだからって」

みかんの房を一つずつ、口に入れながら、婆さんはちろりとこちらを見た。翔人は急に重苦しい気分になってうつむいた。

「嘘《うそ》は、どこまでも通らんとよ」

「——分かってるよ」

「関係ないもんには、どうじゃってええけんど、自分で大事にしたいと思うもんにはの、嘘はいかんとよ」

「分かってるって。だけど」

思い切って顔を上げると、婆さんはまだ口をもしょもしょと動かしている。唇の上下に細かい縦皺が何本も入った。

「俺からついた、嘘じゃあ、ねえじゃん」

「あれ、まあ」

「婆ちゃんが最初に説明してくれたって、よかったんだぞ」

婆さんの口元が、すっと止まった。それまで忘れ果てていた柱時計の音が、急に、かっこん、かっこんと聞こえたかと思ったら、ジイッと小さな音がして、時計がぼおんと一つ鳴った。

「そうかも、知れんね。二人の咎《とが》か」

ちろりと柱時計を見上げた後、婆さんは小さくため息をつき、そして「やれ、ごちそうさん」と立ち上がった。

その晩、寝床に入った後も、しばらくは寝つかれなかった。山に入るほど体力を消耗しなかったせいかも知れない。だが、気がつけば黒木美知の姿を思い浮かべてしまっているし、また、寝返りを打てば、婆さんの言葉が思い出された。翔人はぼんやりと闇を見つめていた。

――嘘はいかんとよ。

分かっている。

だが、少なくとも今の段階では、翔人はこの村の誰にも迷惑はかけていない。何の罪も犯していない。語りぐさになるようなことは、何一つとしてしていない。身元はごまかしているが、それ以外のことは、何もしていない。ここまで来たからには、とにかく平家祭りまで過ごして、そして、どこかに消えてしまえば良いだけのことだ。村人たちは誰もが、婆さんの孫が都会に戻ったと思うだけに違いない。そして婆さんもまた、やがて翔人のことなど忘れるだろう。

あの、黒木美知のことだって、すぐに忘れるに違いなかった。翔人はこれまでに、きちんとした恋愛の経験がない。中学高校の頃には、そんな度胸もなかったし、予備校の頃には、少しの間だけ親しくなった女の子が二人いたが、いずれもすぐに会わなくなった。だからといって風俗に行きたいとも思わない。金で女を買う気なんか、さらさらない。エロビデオの類も、そう熱心には見ない。アイドルにも、美少女アニメやフィギュアといった類にも興味はない。元来、「女」というものに対して、恐怖心のようなものがあるのだ。所詮はおふくろと同じ生き物ではないか。少しくらい可愛《かわい》く見えたって、ゆくゆくはあんなふうになるに違いないと、心のどこかで思っている。だから、ゲイのつもりはなかったが、自分で自分を疑いたくなるくらいに、女が必要だと思ったことはなかった。

——あの女だけ、特別なんていうことはない。

寝返りを打ち、布団を鼻の下まで引き上げながら、翔人は自分に言い聞かせていた。脳裏には、長い髪を背中に垂らした美知の後ろ姿が焼きついているのに、その姿を思い浮かべながら、同じ言葉を繰り返していた。

13

翌日は忙しかった。

噂《うわさ》というものは、いつの時間帯に、どこをどういう風に駆け巡るのだろうか。たった一日の間だというのに、村の中心地の界隈《かいわい》で翔人を知らない者はほとんどいないのではないかと思うくらいになっていたのだ。

「お兄ちゃん、ちっと悪いね」

「ああ、おスマじょうんとこの兄ちゃん、頼まれてくれんかの」

「そっちの手が空いたらね、手伝って欲しいっちゃわ」

前日と同じように、美知と二人きりで草花の鉢植えをして過ごせると期待して、シゲ爺《じい》の車に揺られて町場まで下りたというのに、待ち構えていたのは見知らぬ人々の、必要以上に親しげに「お兄ちゃん」と呼ぶ声なのだ。結局、翔人は午前中一杯で美知の手伝いを切り上げ、その後は呼ばれるままに方々に出向いた。

「助かるわあ、一人でも人手が増えると」

「やっぱり若いっちゃわ、身のこなしが軽いもんなあ」

どこへ行って、どんな簡単なことをしても、見知らぬ笑顔が翔人を迎える。無論、ステージやテントの設営、案内表示板の設置などといった祭りの準備そのものは、役場や青年会や商工会や、色々な団体の人々が中心になって動いている様子だったが、とにかく力のいる仕事や、高いところに上る作業などは、高齢者では難しいことも多い様子だった。

「わしらだって役《やく》するとぞ。普段は山に入って、でっけえ木に登って、枝を払ったりしちょるっちゃ。何の心配も、ねえとじゃがなあ」

中には少しばかり悔しそうな顔をして、ほとんど負け惜しみのようなことを言う親父もいたが、それでも必ず「ありがとう」という言葉が最後についた。

「若い人がおるっちゅう、もうそれだけで、楽しくてしょうがないっちゃわ」

どこから現れたのか、昨日、美知のところへ車で運んでくれたおばさんがやってきて、一人で納得したように、うん、うん、と頷《うなず》きながら言った。

「慣れてはいたって、本当は淋《さび》しいんだもんねえ。心細いちゅうことも、あるし。若い人っちゅうのは、もうそれだけで、気持ちを明るくさせてくれるとよ」

何か手伝うごとに、「持っていけ」「少しだけど」などと言いながら、老人たちは翔人に手土産を持たせる。それは、煙草《たばこ》だったり、焼酎《しょうちゅう》だったり、菓子だったりした。何かの紙を折りたたんで作ったという置物のようなものもあったし、五円玉で出来ているタヌキもあった。洋服を着ているキューピー、「鶴富姫」という札のついたキーホルダー、古いハガキで作ったという鍋敷《なべし》き。一体、何の役に立つのだろうかと思うようなものばかりが、翔人の手元に増えていった。

「心ばっかりのものじゃけんど、他にお礼もできんからね」

白くふっくらとした銀杏《ぎんなん》が、山ほど入っているビニール袋を差し出した老婆《ろうば》は、そう言って恥ずかしそうに笑った。

「皆、親切だなあ、ここの人たちは」

回り回って、ようやく美知の作業している倉庫まで戻ったときには、翔人は大きな手提げ袋を下げることになっていた。もらったばかりの煙草の封を切り、婆さんの煙草とは異なる味を久しぶりに味わっていると、ようやく後かたづけに入っていた美知が傍まで来た。「一本くれない？」と言って翔人の脇《わき》に立ち、彼女は自分のエプロンのポケットから使い捨てライターを出す。

「それは、あなたが親切にしてあげてるからでしょう」

ふう、と煙草の煙を吐き出しながら、美知はまた遠くを見る目になって呟《つぶや》いた。

「田舎の人は純だもん。あんまり人を疑ったりしないし、親切にしてもらったら、その分、お返ししたいと思うし」

美知の言葉を聞きながら、翔人は急に、気分が重くなるのを感じた。皆が喜んで、こんなに色々な土産物を持たせた相手は、実は外の世界で何人もの年寄りに怪我《けが》をさせてきた、ひったくり犯だ。おまけに女を刺し殺している殺人犯でもある。そのことを知らないからこそ、みんな、翔人を好青年だと思っているのに過ぎない。

「いつまで、こっちにいるの」

「はっきりとは決めてないけど——まあ、祭りが終わるまでは」

「そうしたら、帰るんだ」

「いや——」

帰るところなど、ありはしない。ここを出たら、後はまた、見知らぬ土地をさまようばかりだ。そうして、金に困ったらまた盗みをはたらくのだろうか。背後から人を襲い、バッグを奪うのだろうか。そう考えると、情けない。どうして自分には帰る場所がないのだろう。誰か、待っていてはくれないのだろうか。ますます気分が重くなりかけたとき、「いいなあ」という呟きが聞こえた。

「自由って感じ」

相変わらず遠い目をしたままで、美知の横顔は容易に声などかけられないくらいに、冷たく、硬く見えた。わずかに緊張しながら、翔人は自分の中で言葉を探した。そして、ようやく勇気を振り絞って「あの」と口を開いた。

「自由じゃ、ねえの」

美知は、初めて隣に翔人がいることを思い出したような表情になって、ふっと微笑《ほほえ》んだ。

「そんなことも、ないよ」

「でも——じゃあ——」

「不自由なわけじゃない。でも、自由でも、ないかな」

よく分からない。だが、確かに彼女は自由を謳歌《おうか》しているようには見えない。昨日も思ったことだった。彼女は何かに耐えているような、どこかに逃げようとしているような、そんな雰囲気に見えて仕方がない。

「明日から、すごい人、賑《にぎ》やかになるね」

「そうなんだろうな」

「きっとまた、あちこちに駆り出されるよ。もう今日で味をしめたから、すっかりアテにされちゃってる」

少しずつ灰になっていく煙草の先を見つめながら、翔人は小さく笑った。この自分が、人からアテにされるようなことになろうとは。

「あのさ。携帯、持ってないの？」

「持ってなくはないけど。充電してねえや、ずっと」

「止められたりは、してない？」

「分かんねえ。かも、知んねえな」

「じゃあ充電して、確認してよ。で、番号、教えて」

心臓が、キュッと縮んだような気がした。翔人は「俺の？」と言いながら、その真意を測るように美知の瞳《ひとみ》を見つめた。

「お祭りの間、こっちも色々頼みたいことが出てくるかも知れないし。連絡取り合うのに、それが一番じゃん」

それだけかよ、と言いたいのを、何となく堪《こら》えた。ところが、いざ自分の携帯電話の番号を言おうとしても、どうしても思い出せないことに、すぐに気がついた。考えてみれば、これまで誰にも教えたことなどなかったのだ。聞かれたこともない。翔人にとっての携帯電話とは、あくまでもメールやｉモードだけを使って、外の情報を取る程度のものに過ぎなかった。

「――やべえ。マジで思い出せねえや」

美知は呆《あき》れたような顔でこちらを見ていたが、やがて「今、持ってる？」と手のひらを出す。翔人は弱々しく首を振った。電池の残っていない携帯は、この村に来たときに着ていたジャンパーのポケットに、入れっぱなしになっている。

「しょうがないな。じゃあ、私の携帯の番号、教えるから。いい？　今日、お婆《ばあ》ちゃん家に帰ったら、真っ先に充電して、すぐに連絡して」

「あ――でも、止められてたら」

「ダサ過ぎるなあ、もう」

その時に初めて、美知は心の底から呆れたように大きく表情を動かした。その生き生きとした顔の動きに、翔人は本当に心臓が十センチくらい飛び出した感じがした。可愛い。絶対に。それにしても、彼女はダサいの語源を知っているだろうか。「ダってサいたま」から来ていることを。それを知ったとき、翔人は埼玉県民として少なからずショックを受けたものだ。

「分かった。今夜中に電話がなかったら、じゃあ、明日の九時。役場の前ね。待ち合わせ。分かった?」

余計なことを考えている間に、美知は翔人の封を切ったばかりの煙草のセロファンをはぎ取り、ボールペンで090から始まる携帯の番号を書きつけた。翔人は返事も出来ないまま、黙ってその様子を眺めていた。

携帯電話は止められていなかった。夕方、シゲ爺に送られて婆さんの家に飛び込むと、翔人は「ただいま」も言わずに二階に駆け上がり、携帯電話の充電を始めた。そして、ほんのわずかだけ充電したところで、すぐに教えられた番号に電話をした。

「使えるみてえだ。大丈夫」

可能な限りの最短時間で、息せき切って連絡したつもりだった。だが、返ってきた答えは「分かった」という、実に素っ気ないものだった。半ばがっかりしつつも、その晩、翔人は久しぶりに息を吹き返した携帯電話を枕元《まくらもと》に置いて眠った。

平家祭りが始まった。

初日は前夜祭的なもので、展示会や講演会の他、本格的に祭りらしい雰囲気のものは、夕暮れ時から行われる「鶴富姫法楽祭」から始まるのだそうだ。翔人は知らなかったが、この村には「厳島神社《いつくしま》」という神社があって、それは平家一族が篤《あつ》く信仰していた広島の厳島神社と同じなのだという。そんな話を聞いてしまうと、この村はますます平家の村なのだということが感じられた。

その日は翌日からの祭り本番のために、翔人は、さらにあれこれと細かい手伝いに駆り出された。シゲ爺と山に入って採ってきたものなども「物産コーナー」に並べて販売するし、そのための準備も必要だ。模擬店が並ぶために、鉄板やガスコンロなども用意しなければならなかった。村外から入ってくる様々な業者のための駐車スペース、ゴミ箱の設置など、とにかく次から次へと仕事が押し寄せてくる。

「本番前に、もうクタクタだ」

だが携帯が通じるようになったお陰で、口ではそう言いながらも、翔人の気持ちは浮き立っていた。数時間に一度は、美知から電話が入るのだ。今どこ？　何してる？　そして、翔人が居場所を答えると、握り飯を持ってきてくれたり、飲み物を持ってきたりする。自分もひと息入れるからと、ただ煙草を吸いに来ることもあった。

「でも、やっぱりお祭りって楽しいよね。明日はもっと賑やかになる。この村で、道路が渋滞するんだよ」

「渋滞かよ！　へえ、信じらんねえ」

試しに焼いたという焼き団子などを頬張りながら、そんな他愛ない話をする。美知は長くても十分程度ですぐに「じゃあね」と去っていった。その後ろ姿を見送るとき、翔人は生まれて初めて、何ともいえない気持ちになった。

——何だろう、これ。

確かに美知は綺麗《きれい》な人だ。可愛《かわい》い。ずっと見ていたって飽きないと思う。だが、そういうものとは異なる、何かもっと違うことが翔人の中で引っかかっている。顔を見ると安心する。嬉《うれ》しくなる。笑わせたいと思う。

たった今まで隣にいたのに、彼女の姿が見えなくなると、もう次の電話が待ち遠しくてならない。苛々《いらいら》しながら待つのが嫌だから、駆り出された手伝いに精を出しているようなものだ。

——ひょっとして。

惚《ほ》れたのだろうか。

やばい。

そんなことになったら、面倒だ。

自分が何ものだか、忘れているわけではないというのに。

いや。

気のせいだ。女などに一生懸命になるタイプではない。自分は生涯、しゃぼん玉のように、ただ漂って生きていく。そしていつか、どこかでパチンと弾《はじ》けて消える。それだけの存在のはずだ。誰かに惚れるとか、誰かと一緒にいたいとか、そんな生き方を望むような人間には生まれついていない。

グズグズと考えているうちに、また携帯が鳴る。「今、どこ」と声がする。それだけで、翔人の頭は空っぽになった。

「明日さあ、売れるといいね」

昼が過ぎ、午後になって、美知はベビーカステラを持って現れた。

「自分で採ってきたんでしょう？　山仕事、慣れてるの？」

「んなわけ、ねえじゃん。全然、初めてのことばっか」

「それでよく、やったねえ」

「だってよ、シゲ爺《じい》が怖《こえ》えんだ。朝だって、俺が寝てる部屋まで上がってきて、布団、引っぺがすんだから」

普通に本当のことを言っているだけなのに、美知はくすくすと笑った。わずかに肩をすくめて、うつむきがちに笑うだけで、翔人は何ともいえない暖かい気持ちになった。良かった。彼女は笑っている。彼女を楽しませている。そう思えるだけで、嬉しかった。

「最初の何日か、もう、筋肉痛でサイテーだったよ」

「そうなんだ。それで、バイト料とかは？」

「自分の取り分を自分で売って、その売り上げってこと」

へえ、と目を丸くして、美知はまたくすくすと笑う。「何だよ」と聞きながらも、翔人はやはり嬉しくてならなかった。

ベビーカステラを食べ終わって、美知が帰っていくと、つい数時間前に顔見知りになったばかりのおばちゃんが話しかけてきた。

「よかったよ、みっちゃんが元気になって」

周囲から「くまさん」と呼ばれているおばちゃんだ。名字なのか名前なのか、あだ名なのかも分からない。

「苦しんどったからねえ」

「苦しんで？」

翔人は、にわかに不安になった。聞いてはならない話を聞かされそうな気がする。ため息をつきながら横目でこちらを見る「くまさん」は、話そうかどうしようか、少しの間、迷っている様子だった。

「あんなに綺麗な子なとにねえ」

「——何か、あったんスか」

「ついてないっちゅうか。ほんの少しのことで、運命なんて、どうなるか」

苛々する。こういう持って回ったような言い方は大嫌いだった。翔人は思わず口を尖《とが》らせながら「くまさん」を見た。彼女は「あのね」と声をひそめた。

「通り魔に遭ったとよ」

どくどくと脈打っていた心臓が、その瞬間、固く凍りついた。

「あの子、大阪で、お勤めしてたのね。そうしたら今年の夏に、会社の帰りに通り魔に遭ったんだと。後ろから斬《き》りつけられて、バッグまで、ひったくられて」

足元に突然、巨大な穴が空いたような気がした。翔人の頭に、死刑台の上の首つり縄が思い浮かび、奈落の底へ突き落とされる自分の姿が思い浮かんだ。闇《やみ》に吸い込まれるように、自分の足元がぶらぶらと揺れている。

「怪我《けが》は、そう大したことはなかったげなけんど、ものすごうショックを受けたそうでねえ。そいで、もう都会も怖くなったし、男の人も怖いし、何もかも処分して、帰ってきたたちゅうて」

「くまさん」の声が遠く聞こえる。左手に、ナイフの感触が蘇《よみがえ》った。服を切り裂き、肉に食い込んだときの、あの感触だ。軍手は赤く染まっていた——。

「おつき合いしちょった人もいたげなけんど。けんどねえ、その人は都会の人じゃし、大阪から離れるわけにいかないっち言われてね。もう、どうしようもなかったげなわ。こっちに帰ってきた当時じゃって、誰とも口きこうとせんし、青白い顔してねえ。本当、見ていられんくらいじゃった」

息が苦しかった。翔人は握りあわせた両手を、さらにきつく握りしめて、何とか叫び出すまいとしていた。

——俺じゃない。俺がやったんじゃない。

あれは、大阪ではなかった。もっと西の、もっと小さな、見知らぬ町だ。少し行くと川が流れていて、それが県境だった。辺りは真っ暗だった。決して大阪ではない。けれど、いくら言い訳をしても無駄だった。やったことは同じだ。間違いなく、翔人がやったのと変わらない。

「皆で腫《は》れ物に触るようにしてきたっちゃけんど、それが、お兄ちゃんと話すようになって初めてよ、あんなふうに笑ったと。ああ、よかった。やっぱり若い人は若い人同士なとかねえ。こん村にだって、若い人がおらんてわけでもないっちゃけんど、こういうときには、かえって昔の自分を知られとるちゅうのも——」

後はもう、何を聞いても耳に入らなかった。翔人はよろけそうになりながら立ち上がり、何をしているのか分からないままで、ただ手だけを動かして過ごした。

夕方、たまたま婆さんの家の近所に住む道代に会ったとき、翔人は美知と「鶴富姫法楽祭」を見に行こうと約束していたことも忘れて、家まで乗せていって欲しいと頼んだ。道代はわずかに怪訝《けげん》そうな表情をしたが、「そういえば顔色がよくないね」などと言いながら、自分の軽トラックに乗せてくれた。

「どうしたのよ、待ってるのに」

家に帰り着き、ぼんやりとしているときに美知から携帯が入った。

「――ごめん。急に腹が痛くなって」

「本当？　嫌だ。何か悪いもの、食べさせちゃったかな。大丈夫？　今、どこ？」

「――婆ちゃん家に帰ってきたんだ。悪いけど――今日は、行けねえや」

ほんの数秒の沈黙の後、電話の向こうから「わかった」という静かな声が聞こえた。

「お大事にね。明日までに、治るね」

「治る、と、思う」

人と話をするのが、こんなに苦しいと思ったことはなかった。その日は晩飯を食う気にもなれず、翔人は早々と部屋に引きこもった。

「どうした、ぼう。薬でも飲むかい」

部屋の外で婆さんの声がしたが、「いらねえ」と答えるのが精一杯だった。

――俺は、人を傷つけた。人の一生を、傷つけた。

その傷を背負って、人生そのものまで変わってしまう人がいるなどと、考えたこともなかった。布団を頭まで被《かぶ》り、その晩、翔人は泣いた。泣くまいと思っても、どうしても胸の奥から苦く、熱いものが流れ出た。自分の頬を涙が伝う感覚など、とうに忘れていた。

14

いつの間にか眠っていた。目が覚めると、あたりはひっそりと静まりかえっていて、布団の中から周囲の気配を探っただけでも、夜明けが近いらしいことが感じられた。鼻先を流れる空気が冷たい。冬の匂《にお》いだった。闇の中で、翔人《しょうと》はしばらくの間ぼんやりと漂うような気分を味わっていた。やがて、身体《からだ》の内側で、もやもやと渦巻いていた思いが、少しずつ一つの形になっていく。

仕方がない。

結局のところは、それだけだと思った。何もかも、どうしようもないことだ。

涙はとうに乾いていた。胸は相変わらず重い石を詰め込まれたような気分だし、黒木美知の顔も、はっきりと思い浮かんでいる。だが、まるで長い夢から覚めたように、翔人の頭の中は奇妙なくらいに、しん、と静まりかえっていた。要するに自分は本来、こんな暖かい布団にくるまって、のんびりと眠っていられるような、そんな人間ではないのだと、初めて心の底から感じていた。

実際、毎日のように寝る場所を探し求め、寒さや雨露を凌《しの》ぐ方法を考え、人目を気にしながらも何か金目のものはないかと物色を続けていたのは、ついこの間のことだ。腹が減れば食い物を探し、必要に応じて人のものを奪い、挙げ句の果てに何の罪もない女を刺し殺して、見知らぬ町を逃げ回って、流れ流れて、ついに、こんな田舎までたどり着いてしまった。

本当の伊豆見《いずみ》翔人という奴は、もはや帰る家もなければ頼るべき家族も持ってはいない。仕事もない。通っている学校もない。何の肩書きもない。「あいつなら」と言ってくれるような友だちも親戚《しんせき》も、知り合いすらも、何一つとして持っていない、ただ漂うように生きているだけの、しゃぼん玉のような存在に過ぎなかった。どこかに着地しようとしたり、誰かと触れ合おうとすれば、もうそれだけで壊れて消えてしまう、そんな程度の存在なのかも知れなかった。やがてパチンと消えるだけの者に、一体、何が出来るというのだ。

その上、黒木美知が通り魔に遭ったのは、翔人とは何の関係もないことだ。翔人が慌《あわ》てて、うろたえて、何も涙まで流すようなことではなかった。

美知を襲った通り魔だって、おそらく、そう特別な感情があって彼女を狙《ねら》ったわけではないのだろうと思った。たまたま、そこに美知がいただけのことに違いない。後ろ姿でも見た瞬間に、かちりとスイッチが入ったとか、そんな程度の感覚で近づいたのだと思う。もちろん、美知の顔を見ていれば、またべつだったかも知れない。あんな娘を傷つけたら可哀想《かわいそう》だと考え直していた可能性はある。だが、その反対に、レイプしようと思うヤツだっているかも知れない。

いや、ひょっとすると。

美知は、本当にレイプされたのかも知れない。昼間のおばさんは、怪我をさせられただけのようなことを言っていたけれど、恋人と別れてまで田舎に引っ込む気になったということは、それなりのショックを受けたということだ。怪我をさせられた以上の、そういう目に遭っていたって不思議ではない。

何ともいえない気分だった。この暗闇の中でも顔をしかめたくなるような、何度ため息をついてもすっきりとしない、どろどろとした苛立ちが、新たに広がっていく。

もちろん、翔人の仕業でも何でもないのだし、関係もない、翔人が苛々したって仕方のないことだ。被害者の美知にしてみれば、災難以外の何ものでもないと分かっていながら、それなのに「なんだよ、それ」という気分になるのだ。まったく、と、犯人よりも美知の方に、腹が立ちそうな感じがした。

しょうがねえなあ、もう。やられちまったのかよ。馬鹿じゃねえの。

言えるはずのない言葉が頭の中にいくつも思い浮かんだ。美知を責める理由など、どこにもないということが分かっていながら、腹が立つのはどうしてだろう。

油断してたんじゃねえの。

スキがあったんじゃねえのかよ。

まじで抵抗したのかよ。

大声出すとか、暴れるとか、出来なかったのかよ。

第一、どこを歩いてて、そういう目に遭ったんだよ。何時頃。

翔人自身が背中を刺した女の姿が思い浮かんだ。ナイフが食い込む感触も。盗んだ原チャリで、風を切って走ったときの気分も。その後、黒々と流れる夜の川に、奪ったバッグや財布などを投げ捨てたときのことも――。

本当は、ちゃんと分かっている。美知にしても、あの女にしても、被害者がそんなことを言われる筋合いなど、これっぽっちもありはしない。相手が油断していようがいまいが、抵抗する暇など与えない方法で、こちらは奪ってきた。時間も場所も関係ない。人目にさえつかず、かちりとスイッチが入れば、その時、目の前にいた者が馬鹿を見る。それだけだ。

要するに、仕方がないということだ。運が悪かったと思うしかない。いつ、どこにでも、ついていない奴は必ずいる。

翔人自身だって、実についていなかった。あんな親のもとに生まれて。あんな環境で育てられて。こんな頭にしかなれなかった。これまでの人生の中で、どれか一つでも自分の思い通りに、自分の力でどうにか出来ることがあっただろうか。受験でさえ思うようにいかなかった。何もかも。

だが、仕方がない。

こういう一生は、きっと最後の最後まで、このままなのだ。どこかで弾《はじ》けて消えるまでの間だけ、ふわふわと漂っているより仕方がない。いずれにせよ、そう長いことではない。何分も漂い続けられるしゃぼん玉がないのと同じように。

何となく、もう、どうでも良いと思った。

馬鹿みたいに早起きをして、何時間も歩かされて、山に入ってキノコを採ったかと思えば、見知らぬ年寄りたちに囲まれて「お兄ちゃん」などと呼ばれ、ほいほいと調子良く使われていた、そんな日々が、いかにも馬鹿げた、無意味なものに思えた。彼らの誰一人として、本当の翔人のことなど知りはしない。この家の婆さんにしたって、翔人という名前さえ、知らないままではないか。

ここで、こんなことをしていたって、何の得にもなりはしない。

奇妙に静まりかえった頭で、翔人は闇を見据えていた。要するに、長居をし過ぎたのだと思った。自分がしゃぼん玉であることを忘れかけていた。老人との生活も、毎日の食事も、沸かしたての熱い風呂も、ここでの生活の何もかもが珍しくて、つい、居心地が良いような気分になっていた。

自分には関係のない世界のことなのに。残された時間は多くはないのに。

こうなったら、明るくなるのを待って出ていくのが良い。今日。今朝。

平家祭りはどうするんだよ。

美知とも、約束したんだぞ。

そんな思いが頭を過《よぎ》り、すぐにまた「何が平家祭りだ」という気分になる。もともと、祭りなどを楽しみにするタイプでもないではないか。美知のことにしたって、今さらどの面《つら》を下げて会えば良いというのだ。この殺人者が、レイプの被害者かも知れない女に。

出ていく。明るくなったら。

闇の中で大きくため息をつく。苛立《いらだ》っているのか緊張しているのか分からない。胸の奥底が、ざわざわとしていた。

ふと、腹が減っていることに気がついた。夕食も摂《と》らずに寝てしまったのだから、考えてみれば当たり前だ。もう少し明るくなるまで待とうかとも思うが、これからもう一度、眠れそうな感じもしなかった。翔人は布団の上に起き上がり、手探りで蛍光灯から下がる紐《ひも》を引いた。青白い光が瞼《まぶた》を射た。

四時を回ったところだった。本当に冷え込んでいる。真冬のようだ。

そういえば、着替えもせずに布団にもぐり込んでいたことに気づいた。すっかり自分の私物のつもりになっていたが、考えてみれば本来は、婆さんが誰かのために用意していたに違いないパジャマは、布団の脇《わき》に丸められたままになっている。

町の年寄りにもらった煙草《たばこ》を一本、ゆっくりと吸った。冷たい空気に煙が溶けていく。十一月の上旬といったら、いつも、もうこんなに寒かっただろうか。去年の今ごろ、自分はどこで何をしていただろう。どんな寒さの中に身を置いていただろうか。

少し考えたが、何も思い出さなかった。寒かったかどうかも、覚えていない。そんなもんだ。

翔人はぼんやりと煙草の煙を追っていた。きっと来年の今ごろも、翔人はどこかまったく別の場所で思っていることだろう。去年の今ごろは、どこで何をしていたんだっけ。その時は、寒かったんだっけ、と。

煙草を吸い終えたところで、廊下に出た。襖《ふすま》を閉めると、あたりは真っ暗闇に戻る。その闇の中を、翔人は足音を忍ばせて進んだ。何日も暮らしている間に、おおよその家の構造は、身体《からだ》が覚えていた。手探りで壁をつたい、爪先《つまさき》が階段の縁を探り当てたところで、そろそろと下りていく。

そのまま階下にたどり着き、暗闇の中を台所に向かった。いくら早起きの婆さんでも、まだ起きてはこないはずだった。自然に抜き足差し足の状態になる。

暗い台所に、ぽつりとオレンジ色の小さな光が見えた。そろそろと手探りで進んでいくと、炊飯ジャーの保温ランプだと分かった。触れると温かい。つまり、飯はあるということだ。それなら、昨夜の晩ご飯のおかずも何か残されていないかと、翔人は、今度は冷蔵庫があるはずの方まで闇の中を進み、手探りで探し当てた扉を開いた。ぶうん、という小さなうなりと、淡い光が広がった。

冷蔵室には、フタつきの容器やラップをかけられた小鉢、調味料や卵などがきっちりと詰め込まれていた。そういえば、この家の冷蔵庫の中を覗《のぞ》くのは、ほとんど初めてに近いかも知れない。翔人は、それらをざっと眺め回しながら、すぐに食べられそうなものを探した。だが、フタつきの容器の中まで覗く気にもなれず、結局、何かの和え物のようなものしか見つけられない。

何か、ねえかな。もうちょっと、肉みたいな何か。

冷蔵室の扉を開けたままで、今度は野菜室と、その下のフリーザーも覗いてみることにした。深めの引き出しを開けると、野菜室の方には新聞紙にくるんだ野菜や緑色の葉物、なぜかこんにゃくなどが詰め込まれている。逆にフリーザーの方は、ほとんどがらがらの状態で、魚の干物や油揚げ、焼き海苔《のり》、他に幾つかの食品らしいものが、白い霜を被っているばかりだった。まさか、この家に冷凍ピザやピラフなどがあるとも思えなかったが、頭上の冷蔵室の光だけを頼りに、何となく未練がましく、固く凍った食品をのぞき込んでいると、奥の方の内壁に貼《は》りつけられているものに目がとまった。長方形の薄いビニールが、テープでしっかり貼りつけられている。

冷蔵庫の説明書にしては、妙だと思った。翔人は何気なく、そのビニールに手を伸ばしてテープをはがした。冷蔵室の明かりが届く場所まで持ち上げると、白く曇ったビニールを通して、郵便番号を書き込む欄が見える。包まれているのは郵便封筒らしかった。

こんなところに。

冷蔵室の明かりだけを頼りに、ビニール袋から封筒を取り出す。その時に、まさか、という思いが閃《ひらめ》いた。

やっぱり。

はやる気持ちを抑えるように、ゆっくりと封筒の中身を取り出す。出てきたのは、何枚もの一万円札だった。持った感じからしても、ある程度の厚みがあったが、十枚や二十枚では済まないことは確実だ。冷蔵庫が、ドアの開放状態を警告するように、ピーッ、ピーッと鳴り始めた。だが、大した音ではない。それに、ここで暗闇に戻ることは出来なかった。翔人の頭は、手の中の札のことで、もう一杯だった。

道理でいくら仏壇や押入を探しても、見つからないはずだ。婆《ばあ》さんは、こんな場所に現金を隠していたのか。よくもまあ、こんな札をしっかりと凍らせておいたものだ。

翔人はその場で、冷え切った札を数え始めた。

一枚。二枚。三枚。

「何をばしちょるっ！」

突然、大きな声が響いた。同時に、眩《まぶ》しい明かりが翔人の顔をまともに照らす。全身の毛が逆さに立つほどに驚いて、翔人はその場に凍りついた。

「泥棒っ！」

明かりの向こうから声が響いた。間違いなく、婆さんの声だ。

「ち、違うって！」

「泥棒っ！　どっから入ったと！」

「俺！　俺だよ！　婆ちゃん！」

何が何だか分からなくなる。翔人はその場で立ち上がろうとして、開きっぱなしになっていた冷蔵室の扉に、肩を嫌というほど打ちつけた。いつの間にか、ピーピーいう音は止《や》んでいる。慌《あわ》てて身体をよけようとした途端、今度は反対側の肘《ひじ》が何かに当たった。ガタン、ごとん、と激しい音が響いた。

「てっ！」

足の小指が何かに当たった。翔人は、思わずその場に屈《かが》み込んだ。

「夜中に、こそこそして！」

頭上から荒々しい言葉が降ってくる。そして、ぱっと天井の明かりがついた。白く照らされた室内で、見上げると、片手に懐中電灯、片手に何かの棒を振りかざした婆さんが、かつて見たことのない険しい顔で立っていた。

「あんた――あんた、泥棒じゃったとけえっ！」

こちらがうずくまっているせいか、婆さんはひどく大きく見えた。翔人は痛みと眩しさとに顔をしかめたままで、「違うよ」と婆さんを見た。

「違うって、言ってんじゃねえかよぉ」

「そんなら、そん手に持っちょるのは、何ねっ」

言われて初めて、手元に目を落とした。薄暗がりの中で数えていたときよりも、ずっとはっきりと、一万円札の束が見える。

「それを、あんたは、どんげしようちゅうと」

「どんげって――俺はただ、腹が減ったから、何か食うものはないかと思って」

「それが食いもんに見えるとけえ」

「だから、そうじゃなくってさ――」

翔人はようやく立ち上がった。すると、台所の入口に立っているのは、やはりいつもの小さな婆さんだった。だが、その表情だけは違っていた。眉間《みけん》に深い皺《しわ》を寄せて、口元に力を入れて、ほとんど白くなっている髪をほつれさせたまま、婆さんは、にこりともせずに翔人を睨《にら》みつけていた。

「俺は、ただ――」

言いながら、翔人の中で、何かがすとん、と落ちた。どこかに穴が空いたように、ぽっかりと隙間《すきま》が生まれた。わかった、と翔人は思った。

婆さんは、まるで虫けらでも見るように、翔人を見据えていた。

信じていない。

その目が語っている。お前のことなんか、信じていない。

腹の底の、さっき空いたと思った隙間から、今度は黒々としたものがこみ上げてくる。笑いたいような、震えてしまいそうな、何か、よく分からないものが揺れながら立ち上ってくる。

「――そんな風に、思ってたのか」

呟《つぶや》いた声が喉《のど》の奥で震え、かすれていた。ついでにふん、と鼻でも鳴らしてやるつもりだったのに、声を発した途端に、無性に腹立たしさがこみ上げた。

「婆ちゃん、俺のこと、そんな風に思ってたのかよっ！」

婆さんの表情は動かない。さらに皺を深くして、怯《おび》える様子もなく、ただこちらを見ているばかりだ。

「俺のこと、俺のこと――！」

「そんげなこと言う前に、そんなら、ぼう、その手に持っちょるものをば返しなさい」

翔人は思わず手許《てもと》に視線を戻し、そのまま握りしめていた札束を婆さんに突きつけようとした。それなのに、手が動かない。頭の中にはまったく別の、というよりも、この金を見つけた瞬間の「しめた」という気持ちが強く貼りついていた。

俺は今日、この家を出て行く。

シゲ爺《じい》と一緒に山に入って、自分で採り、祭りで売ろうとしていたものの金を手にすることも、もう出来なくなった。と、なれば、頼りになるのはこの金だけだ。こんなちっぽけな婆さんの一人や二人、どうにでも出来る。騒がれようと、どうしようと、どうということもない。

「ほれ、ぼう」

婆さんが一歩、こちらににじり寄ってきた。翔人の目はあたりをさまよい、そして、婆さんが握っている棒にとまった。あの棒を奪うことくらい、苦もなく出来る。振り回して脅すだけでも良い、最悪でも何発か殴れば、とにかくこの場からは逃げられるだろう。

「ほれ」

さらに婆さんが近づいてきた。翔人は、思わずたじろぎそうになりながらも、小さな婆さんを見つめていた。考えてみると、こんな風に真正面から向き合った相手に襲いかかったことはない。いつだって、背後から相手の隙をついてきた。そのせいか、いざとなると、やはり踏ん切りがつけにくい。

「ぼう。あんた、何を考えちょるとね」

深い皺に包まれた婆さんの表情が、さらに険しくなる。だが、じっと見上げてくる目は、驚くほど静かで、奇妙に翔人を不安にさせる何かがあった。

「俺——俺は——」

また、腹の底で怒りとも悲しみともつかない何かが渦巻いた。どうせ、一人殺している。それが二人になったって、どうということはない。

「とにかく、それをば返しないっち」

婆さんがさらに近づいてきた。反射的に婆さんの方に手を伸ばそうとしたときだった。外で車の音がしたと思うと、そのまま音は大きく近づいてきて、家の庭先に入ってきた様子だった。翔人は、血の気が退く思いでその音に耳を澄ませた。まさか、シゲ爺だろうか。だが、シゲ爺の軽ワゴンとはエンジンの音が違っている。明らかに普通乗用車のエンジン音だ。

「だ、誰か、呼んだのかよ」

「誰を」

「――だって、誰か来たじゃねえか」

婆さんも不審そうな表情で背後を振り返った。玄関の引き戸にはめ込まれた磨《す》りガラスを通して、確かに車のライトらしい明かりが見えている。

「誰も、呼んどらんよ。何じゃっちゅうっちゃろ、こげな時間に」

婆さんは、ちらりと翔人を見てから、首を傾《かし》げながら「どれ」と身体の向きを変えた。ゆっくりした足音と共に、廊下の明かりが点《とも》り、玄関の明かりが点り、そして、からから、と引き戸の音がした。翔人の耳に小さく「あんた」という声が聞こえた。

15

何本目か分からない煙草《たばこ》に火を点《つ》けて、翔人は苛々《いらいら》と煙を吐き出した。布団には、まだ翔人自身の温《ぬく》もりが残っていた。その上に再び寝転んだり起き上がったりして、さっきからもう三十分以上も時間を潰《つぶ》している。婆さんが、二階に上がっていろと言ったからだ。一旦《いったん》、玄関の外に出て、客の正体を知った途端、婆さんは別人のように慌てた表情になって、ほとんどよろけそうになりながら家の中に戻ってきた。そして、台所に立ち尽くしていた翔人に向かって、まるで蠅《はえ》でも追い払うように手を振った。

「はよ、はよ、二階に上がっての。呼ぶまで、下りてくるんじゃにゃあよ」

「な、何だよ、いきなり。誰が来たんだよ。シゲ爺とかじゃあ、ねえの」

「ええからっ、ほれっ、はよ！」

翔人の手には、札の入った封筒が握られたままだったのに、婆さんは、そんなことさえ忘れた様子だった。だから今、翔人の目の前には一万円札の束がある。二階に戻ってきて、改めて数えてみたら全部で三十六枚あった。大金というわけでもないだろうが、決して少ない額ではない。翔人自身、これまでに一度だって手にしたことのない金額だ。

三十六万。

年金とやらはもらっているのかも知れないが、あとは毎日畑に出ているばかりで、ほとんど現金収入のない婆さんにしてみれば、大した額なのだろうと思う。これだけの金を貯《た》めるのには、それなりの日数が必要だったはずだ。無駄遣いさえしなければ、翔人だってしばらくの間、食いつないでいける金額だった。どこへ行こうと。

どこへ行くか、だな。

ここは九州だという。ならば、せっかくだから沖縄まで行ってみようか。あそこは暖かいと聞いている。これから迎える寒い季節を、南国で過ごすのも良いものかも知れない。多分、沖縄なら野宿したって凍死の心配もないだろうし、着るものだって薄着で済むはずだ。それなら余計に金がかからない。テレビか何かで見たことのある、青い海と白い砂浜を思い浮かべて、翔人は思わずうっとりとなった。日がな一日、そんな景色を眺めながら寝転んでいられたら、どんなに良いだろうか。

何しろ三十六万だ。当分の間は何の心配もせずに過ごせることは間違いない。そのまま正月を迎えて、たっぷりと日焼けして。

ついうっとりと考えるうち、はっと現実に戻った。そういう過ごし方をするためには、要するに、このまま逃げなければならないということだ。この金を持って。では、その段取りを考えなければならなかった。

まずは、足だ。だが、この家の軽トラックは、まだ修理から戻っていない。では、婆さんのカブを使うか。いや、待て待て。婆さんのカブであろうと、誰かに頼んで車に乗せてもらおうと、問題はそんなことではない。町に向かっている間に、婆さんが警察にでも通報してしまえば、それまでではないか。この数日で、翔人の顔は、あまりにも多くの人に覚えられてしまっている。と、なると、村の中心に向かわずに、隣村に抜ける方法を考えるしかないか。だが、道が分からない。距離だって、果たしてどのくらいあるものか。

待てよ。

今日は平家祭りだ。日頃は滅多に人ともすれ違わないような村なのに、道路に渋滞さえ起きるくらいの人出になるという話だった。それなら人混みに紛れることが出来るかも知れない。誰かに頼んで、どこかの町まで車に乗せてもらったって良い。

要するに、婆さんさえ騒がなければ良いのだ。おとなしく、翔人を町場まで行かせてくれさえすれば。そのためには――。

殺すか。

致し方ないかも知れない。それに、さっきの婆さんの、あの目。あんな目をされようとは思ってもみなかった。あの目は、明らかに翔人を疑っていた。初めて会う他人に向けるような、いや、それよりももっとひどい、まるで汚物でも見る目だったと思う。だから翔人も、あの瞬間、婆さんを憎んだ。こんな年寄りの一人や二人、どうということはないという気分になった。

要するに、そういうことなのだ。いくら親切そうに見えたって、少しばかり疑わしい行動に出れば、すぐに悪人だと決めつける。どんなに心を許しているようだって、多少の金が本性を暴《あば》き出す。あの時点では、翔人はべつに本気で金を奪うつもりなんか、ありはしなかった。純粋に好奇心だけで、封筒の中身を確かめていただけなのに。

それしか、ないか。

だが。

パクられりゃあ、これで、死刑だ。

それだけは確実だった。

ひったくりを繰り返した挙げ句、一人殺して、最後には、ついに一人暮らしの老婆《ろうば》まで殺して金を奪えば、法律のことなど何も分からない翔人だって、死刑以外にないだろうと思う。客観的に見れば、そんな奴は死刑になって当然だ。

つまり、それが俺か。

馬鹿馬鹿しい。だとしたら、もう逃げられるところまで逃げるしかない。やりたいことのすべてをやり尽くして、しゃぼん玉らしく、弾《はじ》けて消えれば良いだけだ。

吐く息が、微かに震えていた。あと何分後か、何時間後かは分からない。だが、とにかく婆さんは死ぬ。同時に、翔人は正真正銘の殺人者になる。愚かなのは婆さんだ。あんな目で翔人を見るから。物音に気づいて、起き出してきたりするから。いや、何よりも、どこの馬の骨とも知れない、こんな翔人などを、自分の家に住まわせたりするから。

問題は、客がいつ帰るか、だった。

また新しい煙草に火をつけて、翔人は虚空《こくう》を見上げていた。今度こそ、本物の殺人者になるのだと思うと、何だか不思議な気分だった。

仕方がない。

人間は誰だっていつか死ぬのだ。いつ、どこで、どんな格好で死ぬかという違いはあっても、死ぬことには変わりはない。翔人の二十三年間は、とりあえず失敗だった。どこでどう間違ったのかは分からないが、そう思う。それならば、早いところリセットしてしまった方が良い。今回の人生は、ここまで。

そろそろ五時になろうとしている。普段、婆さんが起きる頃だろうか。とにかく、夜が明けきってからでは駄目だ。この村では、少しでも明るくなってきたら、もう人々は外に出て活動を始める。そういえば近所のババアどもが、祭りの時には寿司を作ろうとか何とか騒いでいたような気もする。婆さんに何かの作り方を教わりに来たいとも言っていた。こうなったら、のんびりとしていられなかった。

何、やってんだよ、下は。

苛立ちながら、翔人はそっと部屋の襖《ふすま》を開け、廊下に顔を出して階下の様子を探ってみた。さっきから、何やら低い話し声がぼそぼそと聞こえている。その声と雰囲気から、訪ねてきたのが男性らしいことは分かっていた。だが、話している内容までは分からない。こんな夜明け前にやってきて、一体、誰が何を話しているのだろうか。

いちだんと冷たい空気が流れる廊下に突き出した顔を、さらに前に伸ばそうとしたときだった。「これっ」という悲鳴に近い声が聞こえてきた。翔人は飛び上がるほど驚いて、反射的に顔を引っ込めた。すぐに罵声《ばせい》でも浴びせかけられるかと思った。だが、続いて聞こえたのは、階下からの激しい物音と、荒々しい足音だった。

「やめないっちゅうにっ!」

「うるせえっ!」

怒鳴り合っているのは、明らかに婆さんと客だ。どん、がちゃん、という音が響いた。「ちょっと!」という、やはり婆さんの悲鳴に近い声が聞こえてきた。翔人は、自分の鼓動が速まるのを感じながら、全身を硬直させて耳を澄ませた。

何か、もめている。客は暴れているのだろうか。だから、婆さんが悲鳴を上げているのだ。婆さんのこんな声を聞くのは初めてだった。

「にゃあよ、何にも!」

「何にもってこたあ、ねえだろうっ」

「にゃあったら！」

「誰が信じっとよ！」

「あんたっちゅう子は――」

「だから、この際、五万でも十万でもいいからって、言ってんじゃねえかよっ」

荒々しい怒鳴り声だけで、自然に背筋が寒くなった。実際、首筋から両頬を、ぞわぞわする感覚が這《は》い上がってきて、翔人は思わず身震いをした。今、婆さんは「あんたっちゅう子」と言った。すると、怒鳴り合っている相手は婆さんの息子なのだろうか。こんな夜明け前に突然やってきて、母親である婆さんを怒鳴りつけているのか。

「にゃあったら、にゃあ！」

「嘘《うそ》つけっ」

「嘘じゃと思うなら、どこでん探してみるがええっ！ あんた、夏に来たときに一切合切、持っていったじゃろうがっ。二百五十万もん大金を！」

婆さんの息子。もしかすると、翔人の父親だと思われている男なのかも知れない。どうやら、その男が金をせびりに来たのだ。間違いない。翔人は思わず振り返って、布団の脇《わき》に置いたままの札の束に目をやった。三十六万。婆さんは、あの金をフリーザーに隠していた。封筒に入れて、ビニールで包んで。

――あの息子に盗られまいとして。

がたん、と、一際《ひときわ》激しい音がした。ぎゃあっというような悲鳴が聞こえた。あとは声になっていない。とにかく、激しい息づかいばかりが生々しく聞こえてくる。どうしたのだ。怪我《けが》をさせられたのか。翔人は思わず廊下に飛び出した。

階段を駆け下りて、一気に茶の間に飛び込む。すると、天井から下がったサークラインの蛍光灯が揺れ、その下で、黒っぽい服を着た男が仁王立ちになっていた。こたつがひっくり返っている。テレビの位置もずれていた。茶箪笥《ちゃだんす》の陰で、婆さんがボロ雑巾のようにうずくまって頭を押さえている。その指の間から、どす黒いものが見えた。血だ。

「――婆ちゃん」

翔人は思わず絶句した。いつも婆さんと二人で食事をしてきた茶の間が、見る影もなくなっているではないか。タンスの上に並んでいた人形や、五円玉で出来た置物も吹き飛んでいるし、畳の上には湯呑《ゆの》み茶碗《ちゃわん》がひっくり返っていた。さらに、茶の間の奥の仏壇のある部屋にも、その向こうの婆さんの寝室にも、皓々《こうこう》と明かりが灯されて、滅茶苦茶に荒らされているのが見えた。

「ぼう――」

婆さんが弱々しい声で翔人を呼んだ。途端に、男がこちらを振り向いた。薄くなった髪の一部分が顔に貼りついて、脂《あぶら》ぎった印象の醜い顔だと思った。その、剝《む》き出しにした目には、最初から憎悪《ぞうお》が宿っていた。

「何だ、おまえ」

男の、歪《ゆが》んで色の悪い唇が動いた。そういえば、目から鼻にかけての雰囲気が婆さんに似ているかも知れない。だが、まるで違っている。何よりも、その表情が。

「俺、俺は――」

「人ん家で、何してる」

「人ん家って、ここは婆ちゃんの家だろうがよ」

何だと、と、男はうずくまっている婆さんの方を見る。寝間着の上から毛玉だらけの羽織のようなものを着込んでいる婆さんは、疲れ果てた顔で頭を抱えていた。

「よう、母ちゃん、何なんだ、この若造は」

「てめえに関係あんのかよ。何だって、いいだろうが。おら」

「いいわけ、ねえだろう。おい、母ちゃんっ。こんなチンピラ、どっから拾って来たんだ」

「――その子は、母ちゃんの生命《いのち》の恩人たい。拾ってもらったとは、こっちたい。ぼうがおらんけりゃあ、母ちゃんはとっくに死んじょったかも知れん」

男は再びこちらを睨《にら》みつけながら、「生命の、だと」と、いかにも疑わしげに口元を大きく歪めて、わざとらしく目を細めたりしている。不気味な迫力のある男だった。正直なところ、相当に薄気味が悪かった。濁った目。脂ぎっている上に黒ずんだ皮膚。だが翔人は、自分も負けじと顎《あご》を突き出し、相手の顔を斜めに睨みつけながら「あんたさあ」と口を開いた。

「婆ちゃんの、息子か」

「それが、どんげした」

「そんじゃあ、豊昭とか何とかいうのは、あんたのことか」

男の眉《まゆ》がぴくりと動いた。何人かの人が翔人を見て、そういえば似ていると言っていたことを思い出す。こんな男に？　冗談ではなかった。胸くそが悪い。鼻から荒々しく息を吐き出したとき、男の方も、ちっと舌打ちをした。

「まあ、いいや。お前が誰で、うちのおふくろから何を聞かされていようと、俺には関係ねえからな。だけど、いいな。引っこんでろ。今、俺たちは親子の話をしてる真っ最中なんだ。他人に口出しされる筋合いはねえ」

「親子の話？　これが、話し合ってるって感じかよ」

「うるせえっていうんだよ。ああ？　聞こえなかったのか。黙ってろ。いいか、もう一度言うぞ。俺たちはなあ、お、や、こ、の話をしてるんだ」

「――おめえなんか」

婆さんがかすれた声で呟《つぶや》いた。

「親子じゃなんち――思うとりゃせん」

男が、ゆっくりと婆さんの方を見る。そして、その口元を、さらに奇妙な形に歪めた。息子の顔を、婆さんは無表情に見上げている。

「自分の家に戻ってくるとに、近所の目をば気にして、暗いうちしか来られんごたる、そんなもん息子でん何でもにゃあ。人に顔向けの出来んごたることばっかして、これまでもさんざん、周り中に迷惑かけて、裏切ってきたごたるもんば、もう金輪際《こんりんざい》、息子とは、思わん」

「――おい、母ちゃんよ」

「顔も見たくにゃあ。そげな呼び方も、せんでもらおうか」

婆さんはよろよろと立ち上がる。翔人が初めて会ったときに怪我をしていた場所と、ほとんど同じ所から、また血が出ているようだった。翔人は洗面所に走り、素早く婆さんのタオルを持ってきた。男の脇をすり抜け、小さな婆さんの額にタオルを当ててやると、固く、乾いた婆さんの手が重ねられた。

「他人様の子でさえ、こげん心配してくれるちゅうとに。どの子も分け隔てなく育てたはずなとに。それなとに、ほんしょうに、あんたっち子は――」

翔人は、婆さんの少ない白髪頭を見て、それから息子の方に目を移した。

本気で怖い目をしている、と思った。このまま人でも殺しかねない目だ。そういう雰囲気が、全身からみなぎっている。その目と、再びぴたりと視線がからまった瞬間、翔人は無条件でこの男は駄目だと思った。こんな男こそ、殺したって構わないのではないか。生きている価値などないのではないかという気がした。

「どけ。ガキ」

男が呟いた。その目は本気だった。生まれて初めて感じる恐怖がこみ上げた。はい、すみません、と、すぐに顔をそらして、すごすごと逃げ出したい衝動が衝き上げてくる。だが翔人の手の甲には、婆さんの乾いた手のひらが重ねられている。その手が、行かないでくれと言っていた。

「どけって言ってんだよ。聞こえねえのか。他人には関係ねえ話だって」

婆さんの指先に微《かす》かに力がこもったのが伝わってきた。翔人はもう片方の手を婆さんの小さな肩に回した。

「俺がどいたら、あんた、婆ちゃんに何するつもりなんだよ」

「何もしやしねえよ」

「力ずくでも金を出させる気なんだろう」

男の、たるんだ目の下がぴくりと動く。

「夏に全部、とっていったんだろう？　二百五十万も。だったら、もう、残ってるわけねえじゃねえか」

「そうじゃ。お金なんか、もう、ありゃあせん。一銭じゃち、残ってやしにゃあ」

ほとんど翔人の脇の下あたりから、婆さんの声が響く。またまた。婆ちゃんってば。芝居がうまいな、と一瞬、思う。だが、目の前の男の表情がさらに険しくなるのを見て、翔人は、これがドラマでも冗談でもないことを、改めて全身で感じなければならなかった。下手をすれば、こちらの方がやられてしまいそうな雰囲気だ。これが、よくいう殺気というものなのだろうか。

「よう。ちょっと惚《ぼ》けたんじゃねえのか？　大丈夫かよ、母ちゃん」

男の、片方の頬が奇妙に歪んだ。

「一銭もねえわけ、ねえだろうが。こうやってちゃんと毎日、おまんま食って暮らしてんだしよ、こんな居候《いそうろう》まで置いてやってんだから。だから、言ってんじゃねえかよ。あるだけでいいからって。この際、十万でも五万でも、かまわねえからってよ。何なら、三万だって、いいや」

男が、すっと背筋を伸ばして、こちらに歩み寄ろうとしてきた。

「ば――婆ちゃんがないって言ってんじゃねえかよ」

生唾《なまつば》を呑み込んで、思わず後ずさりそうになりながら、翔人は言い返した。すると、男はいかにも憎々しげな表情で翔人を見据えていたが、やがて何かを思い出したように「そうだ」と表情を変えた。

「お前、しばらくここに住んでたんだよなあ。だったら、よう、お前が金のありかくらい、知ってんじゃねえのか――それとも、あれか。お前がこの年寄りを言いくるめて、うまいこと猫ばばでもしてるんじゃねえのかよ、ええっ」

「じょ、冗談言うなっ」

二階の三十六万がちらついた。

「そういやあ、お前、訛《なま》ってねえな。どこから来たんだ？　何もんだよ、ああ？　何の目的で、こんなクソ田舎に住みつきやがった。それも、一人暮らしの年寄りの家を見つけてよう。適当なこと言って、だまくらかして、まんまと住み着いたってわけか。

何か魂胆があるんだろう。言ってみろよ。よう。財産目的だとしたら見当違いだぞ、こんな田舎の土地なんて――」

「何でん自分と同じに考えんことじゃ。この子は、何も欲しがったりせん。ここで、毎日ちゃあんつ働いとる」

翔人の手のひらに、婆さんの骨張った小さな肩が強く触れた。婆さんがわずかに身を乗り出したのだ。

「欲のにゃあ子じゃ。村の人らに頼まれて、どんな仕事でもいやがらずに、よおく、やってくるるしな、毎日、毎日。天気がよけりゃあ山にも入る、雨が降りゃあ町に行く。平家祭りのために、何でんかんでん頼まれ仕事で、昨日はにゃあ、疲れて腹が痛くなるくりゃあに、てんてこ舞い、しとると」

婆さんは、ふう、と大きく深呼吸をすると、ふいに腰を屈《かが》めてひっくり返っていたこたつを元に戻し、「やれやれ」と言いながら、飛び散っていた煙草《たばこ》や灰皿などを、ゆっくりと拾い始めた。それらをすべてこたつの上に戻すと、もう一度、深呼吸をして、そろそろと腰を下ろして、煙草に手を伸ばす。

婆さんの血を吸ったタオルを片手に、茶簞笥に身体をこすりつけるように身体を縮めたまま、翔人はすっかり落ち着きを取り戻した様子の婆さんの後ろ姿と、相変わらず肩を怒らせている男とを見比べていた。

「なあ、豊昭。あんたを都会に出したとは、間違いじゃったばい」

やがて、ふう、と煙草の煙を吐き出した後で、婆さんの声が広がった。やっぱり。やっぱり、この男が豊昭か。赤の他人でありながら、どういうものだか背中からがっくりと力が抜けていく。勘弁してくれよ。少なくとも、俺の親父だと思われてるんだぜ、と言いたくなった。

「あんたは、兄ちゃんほど頭がええわけでもにゃあ、靖代みたいに、看護婦になるとか、そげな夢を持っちょるわけでもねかった。それなとに、ただただ、もう、こんな田舎からは出ていきたい、都会で一旗揚げたいとばっか言うかい、母ちゃんも、父ちゃんに頼み込んで、無理をして大学まで行かせたとばい」

婆さんの後ろ姿は、実にちっぽけで小さかった。柱時計がぼおん、と一つ鳴った。五時半だ。

「じゃがなあ、間違っちょったばい。あんたは、ずうっと母ちゃんたちの手許《てもと》において、見ててやらにゃあ、ならん子じゃった。その点じゃあ、謝らにゃあ、ならん」

婆さんの後ろ姿は動かない。豊昭も、じっと口を噤《つぐ》んで身じろぎもしなかった。その両手が、きつい握り拳《こぶし》になっているのを見つめながら、翔人は、どうしたら良いのか分からないまま、じりじりと部屋の隅を横歩きで移動していった。

「すまんじゃった。豊昭」

煙草を灰皿に置き、婆さんが呟いた。喉《のど》に詰まったような声だと思っていたら、横歩きするうちに見えてきた皺《しわ》だらけの横顔を涙が伝っていた。

16

婆《ばあ》さんは泣いていた。

身体《からだ》に比べて大きく見える、節くれ立って皺だらけの両手で顔を覆《おお》って。くしゃくしゃに乱れたままの白髪頭で。

「けんど、もう、こん母ちゃんにしてやるることは、何もにゃあ」

婆さんは、ひとしきり泣いて、ようやく手を離し、それでも下を向いたまま、何度も目元を押さえていた。

「思えば、あんたは誰よりも、家から離れたがらん子じゃった。中学の寮に入るときじゃって、泣いて、泣いて、他の子に笑われるくらいじゃった。あんた、覚えちょる？　中学は仕方にゃあにしても、高校のときじゃって、母ちゃんたちは尻《しり》を叩《たた》いて、あんたに頑張れ、頑張れって言うたもんじゃけんど——恨むんなら、恨むんで仕方がにゃあけんど——皆、あんたんためじゃと思うたかい」

豊昭の全身から、ふっと力が抜けたように見えた。握り拳になっていた手がいつの間にか開かれて、だらりと腕を下げたまま、婆さんを見下ろしている。翔人は、足音を忍ばせて台所に抜けた。あんな婆さんの姿は見たくない。泣いている婆さんなど、見られるものではなかった。

「あんたが不憫《ふびん》じゃち思うかい、庇《かば》えば庇うほど、結局は何もかんも駄目になったばい。誠司じゃって、靖代じゃって、それぞれ一生懸命生きちょるっちゅうとに、そげん兄姉にまで何度も迷惑かけて、怒らせるけえ——あん子たちからじゃって、母ちゃんはさんざん責められて——母ちゃんが、あんただけ特別にしよるけえ、あんただけ甘やかすけえ、こげなことになったんじゃち」

「べつに、俺だけなんてこと——」

「あるばい。それが、あんたにだけ分からん。だから余計、そげなあんたが不憫で、こげなことになったとばい。みんな——みんなねえ、母ちゃんが悪かった」

婆さんの「すまんじゃった」と繰り返す声が、何度も繰り返し聞こえた。翔人に与えられたパジャマも、着替えの服も、歯ブラシも、おそらくすべては、この豊昭のために、婆さんが用意していたものなのだろう。婆さんは、それほどまでに、この息子を可愛《かわい》く思っていたのだ。こんな凶悪な顔つきの、こんな息子を。

「けんどの、豊昭。もう、母ちゃんも正直言うて、なえた。靖代は嫁ぎ先のこともあるから、しょうがにゃあにしたっち、誠司まで、もうどげーしても許してくれんし。あの子は、母ちゃんを恨んじょるかい」

「——何で、兄貴が恨むことがあるんだよ。いい会社に入って、立派に出世して、高級な社宅か何かで、そりゃあ優雅に暮らしてんじゃねえか」

「それじゃって、心は違うと。弟ばっか可愛がってっち、恨んじょる。あんたが家庭を持っちょった頃にゃ、あんたの嫁さんと子どもの方ばっか可愛がるちゅうて、やっぱ怒っちょった。そりゃあ、あんたみたいな亭主や父親を持った、多恵子さんや子どもらが不憫じゃと思えばこそ、じゃったんじゃけんど」

「そんなこと言ったって——」

「みぃんな、あんたのためじゃと思うたから。だけんどなあ、豊昭。そろそろ五十にもなろうっちゅう息子んために、これ以上もう、何もしてやるることは、なくなったばい」

突然、おふくろの顔を思い出した。今ごろ、どこでどうしているかも分からないおふくろ。あのおふくろも、いつか、翔人にこうして頭を下げることがあるだろうか。だが、頭を下げられたって――。

「じゃあ、今さら俺に、どうしようっていうんだよ！」

まるで翔人の思いを代弁するかのように、豊昭の声が聞こえた。

「母ちゃんにそげなこと言われたら、これから俺は、誰を頼っていけばいいっていうんだよぉ」

だが、続きの言葉が違っていた。そっと覗《のぞ》き見ると、いつの間にか自分もこたつの前に座り込んでいた豊昭は、背中を丸めてうなだれている。「なあ、母ちゃん」という声は、さっきまでの、今にも人殺しさえしかねないような恐ろしいものではなく、別の意味で悪寒《おかん》が走るほどの媚《こ》びを含んで聞こえた。

「母ちゃんてばぁ」

その声を聞いた瞬間、翔人の中で何かが弾《はじ》けた。フラッシュバックのように、これまですっかり忘れていた親父の姿が思い出された。機嫌の良いときの親父が、おふくろにしなだれかかっては、「なあ」と言っていた姿が蘇《よみがえ》る。呆《あき》れたように「やめてよ」などと言いながら、それでもおふくろは笑っていた。だが、そんな和やかさは、瞬《また》く間に破壊された。暴力によって。罵声《ばせい》によって。するとおふくろは親父を嘘《うそ》つきだとなじり、金切り声を上げた。親父はさらに声を荒らげて手をあげた。家中の、あらゆるものが飛んだ。

「母ちゃんだけは、俺の味方だっち言ってくれたじゃねえか、なあ、そうじゃろう？今度という今度は、俺も心を入れ替えるけえ。母ちゃんの言葉を肝に銘じて――」

「嘘ばっか、言ってんじゃねえっ！」

自分でも信じられない声が、喉の奥の方から迸《ほとばし》り出た。ほとんど自分の意思とは関係なく、口だけが勝手に動いたような気分だった。婆さんが、静かにこちらを向いた。豊昭も小さく振り返った。その目が陰険そうに細められる。

「まだいたのか。引っ込んでろって言ってんだろうが」

「お前なんか――お前なんか、何回同じこと言って、だましてきたんだっ」

翔人は、全体に髪の薄くなった豊昭の頭部を睨《にら》みつけながら、さらに張り上げられる自分の声を聞いた。赤の他人に向かって喋《しゃべ》っていることは、頭では十分に分かっている。それなのに、翔人の目には自分の親父が見えているのだ。あの、笑っていたかと思えば突然いきり立つ親父が。

「都合のいいときだけ、そうやって猫なで声出して、利用しやがって！　本心でも何でもねえくせに！　気分だけで人を怒鳴りつけやがって！」

「最低な野郎だよっ。どうせ口だけのくせしやがって！　クソ野郎っ。てめえなんか、ぶっ殺されりゃあ、いいんだ！」

あのとき、親父にそう言ってやりたかった。おふくろが殴られていたとき。蹴《け》られていたときに。だが、言えなかったのだ。恐ろしかった。ただただ、嵐が過ぎるのを待つより他なかった。だから、おふくろは苛立《いらだ》ちを翔人にぶつけたのだ。親父がいなくなったときを見計らっては、おふくろは翔人を睨みつけ、当たり散らした。卑怯《ひきよう》者。小心者。頼りにならない、小狡《こずる》い子。

――あんたなんか、産まなきゃよかった。お父さんにそっくりの、あんたなんか。

あれを言われるたびに、どれほど傷ついたか分からない。好きで生まれてきたわけではない。好きで、父親に似ているわけではないと、いつだって心の中で叫んでいた。

「そん子の、言う通りじゃ」

ほとんどパニックを起こしかけていた頭に、婆さんの声が響いた。

「母ちゃんも、もう、だまされるとは懲《こ》り懲《ご》りばい」

「母ちゃん――」

「不憫じゃち思えば思うほど、あんたのためにはならんかった。じゃから、母ちゃん

「おい、お前――」

にも責任はある。けんど、あんたは、もう、駄目ばい」

「ちょっと待てよ。母ちゃん。どうしちゃったっていうんだよ、ええ？　こんなガキに言いくるめられて」

「ガキでん何でん、あんたよりは何倍も上等の、何倍も頼りになる人間ばい」

今度こそ大きく、豊昭がこちらを振り返った。その目には再び憎悪が戻り、怒りと悔しさとで顔が余計にどす黒く見える。翔人は、その顔を睨み返しながら、今ごろは親父も、こんな顔になってしまっているのだろうかと考えた。おそらく、そうなのだろう。そうに違いない。もはや、半分人間を捨てたような顔だ。

「余計な口出ししやがって」

色の悪い唇の間から、豊昭がいかにも憎々しげにうめき声を出す。それから急に、開き直ったように「俺だって」と姿勢を変えた。

「好きで、こんなことをしてるわけじゃあ、ねえんだよ。好きでよう、夜中じゅう車走らせて、こんな、椎葉《しいば》くんだりまで来たりしてるわけじゃあ、ねえんだ」

「なら、来んけりゃあ、ええ」

「だから、しょうがねえんだって言ってんじゃねえかっ！」

だん、と激しい音でこたつの天板を叩くと、豊昭は婆さんに向かって大きく身を乗り出した。

「何だよ、さっきから悪かっただとか、わびるだとか言ってるけど、口だけなのかよ、ええっ！　子どもが困ってるときに助けるのが親の義務ってもんだろうっ。そんなことも出来ねえくせに、何、腹の足しにもならねえようなことばっかり言ってんだ、このクソババア！」

婆さんは無表情で虚空《こくう》を見ている。

「金を出せって言ってんだ！　ねえんなら都合つけてこいよっ。どっかから借りてくるなり、何か売っ払ってくるなり！」

「出来《でく》るわけ、ねえどうが。こげん夜も明けきらんうちから」

「じゃあ、明るくなったら行くのかよっ、ええっ！　何時まで待てばいいっていうんだ、ババア！」

「何時まで待っとっても、出来んね」

「なんだとっ！」

豊昭が、こたつ越しに婆さんの方に身を乗り出すのを見て、翔人は思わず豊昭に挑みかかった。丸い大きな背中は肉づきが良く、憎々しいほどの力がみなぎっている。

「この野郎」と羽交い締めにしようとしたが、案の定、次の瞬間には簡単に後ろに弾き飛ばされてしまった。障子戸に足をぶつけ、茶の間から廊下まで飛ばされて、身体のどこかがガラス戸に当たった。ガチャン、と嫌な音がして、すぐ脇《わき》にガラスの破片が落ちてきた。

「てめえ。そんなに痛い目にあいてえのか！」

くるりと向きを変えて、豊昭がこちらに向き直ってきた。婆さんが何ごとか叫ぶ。翔人は、頭の中が真っ白になるのを感じた。怖い。やられる、と思った。だが口からは「この野郎」「ぶっ殺してやる」と、挑戦的な台詞《せりふ》が、ほとんど自分のものとも思えない声で飛び出していた。

豊昭が馬乗りになってくる。腹が押しつぶされそうな重みで息が詰まった。耳の奥がきーんと鳴った。目の奥が熱い。

「か――」

豊昭のどす黒い顔が、目の前に迫っていた。首を絞められているのだろうか、喉が苦しい。

「可哀想じゃねえかっ！　母さんが！」

今にも殴られそうな恐怖に目をきつく閉じて、それでも翔人は必死の思いで叫ぶ自分自身の声を聞いていた。

「どうして、いつもそうなんだよ！　どうして全部ぶちこわすんだよぉっ！」

きつく閉じた目尻から、熱いものが耳の方に伝って落ちる。おふくろは、目の下に痣《あざ》を作っていたことがある。唇の端も青紫に変色し、血が滲《にじ》んでいたこともあった。一度や二度ではない。腕にだって、足にだって怪我をしていた。そしておふくろは、いつも翔人を睨みつけた。

——誰のために我慢してると思ってんの。

弟は、そんなおふくろにしがみついて、泣くことが出来る奴だった。「大丈夫？」「痛い？」などと言い、自分が悪いわけでもないのに、「ごめんなさい」とまで言っていたこともある。けれど、翔人には出来なかった。おふくろに睨みつけられると、もうそれだけで動けなくなった。本当は、言いたかったのに。

「——ずっと。ずっと、言いたかったんだ！」

「てめえ、何、わけの——」

「母さんが可哀想だって！　どうして何回も嘘ついて、嘘ばっかりついて、どうしてそんなに殴るんだ！」

「——何、言ってんだよ、このガキはっ」

絞めつけられていた喉が、すっと楽になった。ついで、腹が軽くなる。耳元でガチヤ、とガラスの音がした。

「母ちゃん、こいつ、頭が変なのか」

くぐもった声が聞こえる。だが翔人は、目を開くことが出来なかった。後から後から、子どもの頃に見た光景が蘇《よみがえ》る。今、目を開けたら、本当にあの頃に引き戻されてしまっているのではないかと思う。おふくろは疲れた顔で、水道の水で新聞紙を濡《ぬ》らしていた。これでガラスの破片を集めるのだと言っていた。

――こっち、来ないでよ。

この上、あんたにまで怪我でもされたら困るんだからと、続きを聞く前に、翔人はもう全身が硬直するのを感じたものだ。母さんは、翔人が嫌い。役に立たないから。親父に似ているから。

「俺だって――」

また涙が落ちた。翔人は身体を捻《ねじ》って、自分の二の腕に顔を押し当てた。

「好きで、似たわけじゃ、ねえんだっ！」

再び襟首を摑《つか》まれた。翔人は無理に引きずり起こされて「おいっ」と怒鳴りつけられた。

「わけの分かんねえことばっかり、言ってんじゃねえっ」

ゆっくりと目を開けて、翔人は、豊昭の目を見据えた。この男にも、自分と同じような子どもがいる。そして、その子どもも、きっと今の自分と同じ気持ちでいるのに違いないと思った。

「——お前なんか」

醜い顔だった。こんな親父なら、最初からいない方がましだ。

「死んじまえ」

「てめえっ」

途端に、また激しく突き飛ばされた。今度は後頭部でガチャン、と激しい音がした。冷たい外気が割れたガラスの隙間《すきま》から流れ込んでくる。それと同時に、首筋をなま温かいものが伝うのが感じられた。そっと手を触れると、指先が赤く濡れた。

「何しよるとかっ！」

突然、破鐘《われがね》のような声が響いたのは、翔人が「この野郎」と身を起こしかけたときだった。振り返ると、玄関先に猟銃を構えたシゲ爺《じい》がいた。翔人が「シゲ爺」と呼ぶのと、すぐ傍にいた豊昭が、立ち上がったのが同時だった。

「——豊昭じゃねえか。おめえ、往《い》んどったと」

「——おっちい」

「すると、何かよ、ええ。これは、親子喧嘩《げんか》か？」

シゲ爺は、どこかきょとんとした表情で翔人と豊昭とを見比べている。

「まあ、そげなところじゃ」

婆さんが、こたつから這《は》い出してきて、「ああ、やれやれ」と言いながら廊下の雨戸を開け始める。白々と、夜が明け始めていた。

「何やあ、人騒がせじゃなあ。こげな時間まで、おスマじょうが起き出してこんはずがねえとに、雨戸は開かんわ、庭先には見慣れん車があるわ、俺はもう、てっきり泥棒にでも入られたとかと思ったばい、おい」

「すまんことだったの」

婆さんの口調は、もういつものものに戻っている。さっきまで鬼の形相を浮かべていた豊昭は、何だか急にそわそわと落ち着かない様子になっていた。翔人は、自分の指先についた赤い血をぼんやりと眺めていた。まるで心臓が移動したかのように、頭の後ろがドクドクと脈打っている。

——赤い血。俺の。

頭が混乱していた。これまでに見た、色々なシーンが一どきに頭の中で渦巻いた。口の端に血を滲ませていたおふくろ。婆さんの額から流れ落ちていた血。背中を——

背中を赤く染めて倒れた女。

「じ――じゃあ、母ちゃん、俺、行くわ。当分、帰れねえかも知れねえけどさ。まあ、な。大丈夫だよな」

豊昭が、口調を変えている。

「何じゃ、行くちゅうて。祭りに合わせて往んできたんと違うとけえ。よう、ゆるりとしていけ」

「そうしたいのは山々なんだけど、色々と忙しくて。阿蘇の方まで用があったんで、ちょっと寄ってみたんだ」

「阿蘇の方に。おめえ、今、何やっとるとじゃ？　東京じゃあ――おいおい、いくら親子喧嘩ちゅうても、ちょっと派手にやり過ぎじゃあねえとかい。ガラスまで割るっちゅうとは。それに――いずみは、おめえ、怪我しとるととちがうと」

翔人の脇の雨戸まで、すっかり開いたところで、シゲ爺の口調が変わった。翔人は、何を言うつもりにもなれなかった。ただ、涙が出た。悔しいのか、怖いのか、悲しいのか、痛いのか、何だかよく分からない涙が出て出て、止めようがなかった。

17

シゲ爺の軽ワゴン車が坂道を下りていく。山の端から射《さ》し込む朝陽は、曲がりくねった道に鮮やかな陰影を作り出していた。確かに祭りのせいかも知れない、珍しく数台の車が連なって前方を行くのが、カーブの度に視界に捉《とら》えられた。

「弁慶の泣きどころじゃな」

小刻みにハンドル操作をしながら、シゲ爺がいがらっぽい声で呟《つぶや》いた。

「――何、それ」

「おスマじょうにとってはな、お前の親父は、弁慶の泣きどころじゃって」

弁慶の泣きどころの意味が分からない。だが、そんなことよりも「おまえの親父」というひと言の方に、翔人の神経は反応した。あんな奴。

「あとは、どこをとってもしっかりした人なっちゃが、やっぱ母親っちゅうとは、子どものことだけは違うとじゃなあ。ことに、歳《とし》がいってからの子っちゅうとは」

「――どんなだったの」

「何が」

「だから、あいつ」

シゲ爺の視線が、ちらちらと横顔に注がれているのが感じられる。「あいつか」という呟きは、諦《あきら》めと、わずかな笑いのようなものを含んで聞こえた。

「倅《せがれ》にまで、そげな呼び方をされるっちゅうとが、あん豊昭の不徳の致すところばい。けんど、まあ、あれはあれで、端から見とりゃあ、可哀想と思わんことも、なかったばい」

「何で」

「そりゃあ、何かっちゅうと兄貴や姉貴と比較されて育ったわけじゃかい。惨《みじ》めじゃったとじゃあ、ねえとかい。何しろ、ずば抜けて優秀じゃったかいなあ、おめえの伯父貴と伯母さんっちゅうとは。揃《そろ》って」

ふと、翔人の親父は何人兄弟だったのだろうかと思った。聞いたことがあるような気もするが、覚えていない。誰かに会ったという記憶もない。何しろ、おふくろは親父の一族すべてを毛嫌いしていた。だから、子どもの目から見た親父は、それこそ親も兄弟も持たない、今の翔人と同様の、まるでしゃぼん玉のようだった。いつも一人だけで宙を漂っているような印象だった。

「あの二人は心配いらんかった。お前の祖母ちゃんじゃって、それが分かるけえ余計に、ついつい豊昭だけ甘やかしてしもうた。じゃけんど、それが裏目に出たわけじゃなあ。聞いたところによると、ヨシおっちいのな」

「ヨシおっちい？」

「阿呆《あほう》。おめえの祖父ちゃんじゃろうが」

「要するに、婆ちゃんの――」

「死んだ連れ合いな。その、ヨシおっちいの兄弟に、一人な、豊昭とよう似た奴がいたちゅう話だ。早くに出奔したとかで、俺もろくに覚えとらんけど、血は争えんちゅうかなあ、その血が、豊昭にだけ、出たとじゃろうっちよ」

血。

翔人は、そっと自分の後頭部に手をやった。出血の割には、傷はそう大きくも深くもなかったらしく、傷口はすぐにふさがった。こうして触れてみても、周辺の髪が少し血で固まっているらしい他は、あまり気にならない。傷口そのものには、シゲ爺がガーゼと絆創膏《ばんそうこう》を貼《は》ってくれた。それでも、首筋を伝った生ぬるい感触と、指先の赤い色とは、翔人の脳裏に焼きついていた。あれが、翔人の中を流れるものだった。

「お前も、まあ、苦労するのう」

「――同じ、血だから？」

「そういう意味じゃあ、ねえ。ああいう親父をば持ってっちことばい」

豊昭は赤の他人だ。だから、シゲ爺の言葉など、適当に聞き流していれば良いはずだった。だが、あの男が父親ではないという以外は、何もかもが翔人自身にも当てはまる。豊昭は、ある意味で翔人の親父にそっくりだった。同じ種類の人間に思えた。

「——多いのかな、ああいう人間って」

「どうじゃろな」

あの時、翔人は本気で豊昭に飛びかかっていた。親父に対するのと同じ腹立たしさを覚えていた。

「それにしても、どこに往んじょったとじゃ、あいつは」

「知らねえ」

「久しぶりじゃったとじゃあ、ねえとけえ」

「——すげえ、久しぶりだったよ。何年ぶりか、分かんねえくらい」

「そげにやあ」

「だって——離婚したっきり、会ってなんかいなかったんだから」

どっちの話をしているんだ。頭を切ったせいで、血が足りなくなったのか。だから、こんなに混乱して、くらくらするのだろうか。翔人は助手席のシートに身を預けたまま、思わず目をつぶった。

豊昭は結局、婆さんから何もとれないまま、そそくさと立ち去った。口だけは「またな」とか「じゃあ、これで」とか愛想の良さそうなことを言いながら、翔人に向っては、明らかに憎しみのこもった眼差しを向けていた。その後ろ姿は卑屈で、いかにも逃亡者のものに見えた。婆さんは最後まで口を開かず、見送りにも出なかった。そして、車の音が聞こえなくなった頃に、のろのろと台所に向かいながら、「阿呆が」と小さく呟いた。

――「達者でな」とも言わんで。

婆さんは、握り飯を作ってくれた。翔人が山仕事へ出ていたときに、毎朝、手渡されていたのと同じ、巨大な握り飯だ。そして、全体を大きい海苔《のり》で真っ黒に包み込んだ飯を差し出しながら、「ぼう」と翔人を呼んだ。

「これ食べて、シゲ爺と行っておいやれ」

今日は平家祭りだ。物産カーニバルで店番もしなければならないだろうし、きっと他にも色々な仕事に駆り出されることだろう、と婆さんは言った。

「祭りものう、いっぺえ楽しんでくりゃあ、ええよ。鶴富姫さまん行列も、たいげえ綺麗《きれい》じゃけえ」

婆さんは普段と変わらず、実に淡々として見えた。けれど、その皺《しわ》に囲まれた瞳《ひとみ》は、一人にしておいてくれと言っているように見えた。小さな婆さんは、疲れ果てているようだった。翔人は握り飯を受け取る前に、大急ぎで二階に駆け戻った。例の金を返すためだ。何だかもう、金のことなどどうでも良くなっていた。

「俺、まじで、とってないから。中は——その、見たけど」

封筒を手渡すとき、婆さんは「まじで」と小さく繰り返した。

「まじで、て」

「ああ——真面目《まじめ》な話、ってこと。本当にってことだよ」

すると、婆さんは小さな、皺だらけの顔をくしゃりとさせて、「ぼうは、ええ子」と言った。

「すまんかったの。ぼうを、泥棒ち思うたわけじゃあ、にゃあとよ」

手渡された握り飯は、いつにも増して塩辛く感じた。それを食っている間に、シゲ爺が、翔人の怪我《けが》の手当をしてくれたのだ。

「なあ、シゲ爺」

「なんじゃ」

「本当に、血ってあるのかな」

「俺も下手すると、あいつ――親父みたいになるのかな」

いつの間にか煙草《たばこ》を吸い始めていたシゲ爺は、例によってぱっ、ふう、と繰り返しながら「どうじゃろな」と呟く。

「何でんかんでん血筋のせいにするっちいうとも、な。いちばんの問題は、そいつの、ここじゃろうが」

シゲ爺の左手が伸びてきて、翔人の胸のあたりを軽く叩《たた》く。

「同じ血じゃって、他の兄姉は立派に育っちょるんじゃ。おめえの親父は、ここが弱えんじゃよ、要するに」

「心臓？」

「阿呆。心根ばい」

「心根」

「気持ちが弱えとじゃ。だからすぐに、あっちにふらふらぁ、こっちにふらふらぁっとな、風が吹くたんびに揺れるとよ。人ん口車に乗る。だまされる。楽することばっかり考える。自分のことで頭がいっぱいじゃけえ、人んことまで考えられん」

「だから、暴力ふるったり――」

「そげなことばい。弱いけえ、暴れるわけばい。それに、自分のことだけの奴は、人の心が分からんと。自分が痛いち思うことは、人じゃって痛いとじゃ」

そうだ。そのことを本当に今さっき、翔人は生まれて初めて知った気分だった。これまで何度も痛い思いをしてきたつもりだったが、あの時ほど鮮やかに思ったことはなかった。自分は、どれほどの痛みを見も知らぬ他人に与えてきたことだろうか。

「ほら、前に言うたじゃろ。たとえ攻撃するにしても、相手に応じたことをばするもんじゃち。さっきの、あれもな、親父が息子とやり合うにしちゃあ、ちょっとやりすぎばい。経緯《いきさつ》は知らんども、親父としてん思いをば伝えようと思うちょったにしちゃあ、ちょっとな」

「――思いを伝えようなんて、思ってやしねえよ。あいつは」

「まあ、そうなとじゃろう。あれを見りゃあ、分かるばい」

「なあ、シゲ爺」

「今日は質問が多《おえ》な」

「人は、いつまでならやり直しが出来る?」

「こりゃあ、また難しい質問ばい」

ぱっ。ふうっ。シゲ爺は煙草を吸う。翔人もジャンパーのポケットから新しい煙草を取り出した。吸ったことのない銘柄だった。昨日、初めて会った老人がくれた煙草だ。老人は言っていた。おスマじょうが羨《うらや》ましい。こんなに立派な孫がいて、と。

「まあ、少なくとも、今んぼうの歳《とし》なら、大概《てえげえ》のことはやり直せるばい」

「テーゲーのこと？」

「何もなかったことにゃあ、そりゃあ出来んが。ちゃんと落とし前をつけりゃあ、大《でえ》丈夫《じょうぶ》ばい」

「――落とし前」

「そうよ。わしじゃって、若い頃の失敗をあれこれ思い出すと、今でも頭を抱えたくなることじゃって、ねえわけじゃあ、ねえ」

「シゲ爺が？」

「おう。そのたんびに、それなりに、落とし前っちゅうかな、責任っちゅうかな、そげなことは、したばい」

「やばいと思ったことも、ある？　何ていうかな、このままだと、駄目っていうか――ろくでもない人間になるんじゃねえか、とか」

シゲ爺は、ちらりとこちらを見た。その目が、どこか悪戯《いたずら》っぽく、また翔人の心の中を探るようにも見えて、翔人は思わず目をそらした。やがて、「あるばい」という声が聞こえた。

「今から考えても、あのとき、自棄《やけ》を起こしちょったら、まずいことになったじゃろうな、とかのう。一つ間違えば、とんでもねえことになっちょったろうな、とか。何回か、あるばい」

「――それで、どうして、やばいことにならなかったのさ」

その時、軽ワゴンのすぐ脇《わき》を、真っ赤な車が猛スピードで追い越していった。カーブの手前でテールランプが赤く光る。「あげに飛ばして」とシゲ爺が舌打ちをした。

「そりゃあ、落とし前をつけたからばい。ああいう運転する奴じゃって、事故すりゃあ、責任をとるじゃろう？　同じことばい」

「どうして、落とし前つけようって、思えたの」

「まあ――おふくろん顔がちらついたこともあったしな、親父とか、兄弟とか。怒れるからやめようち思うことも、迷惑かけたくねえち思うこともあったばい。所帯を持ってからは、女房とか、子どもとかのう」

「――そういうのが、ちらつかないときは？」

そうじゃなあ、とシゲ爺が顎《あご》をこする。伸びかけているらしい髭《ひげ》の音が、微《かす》かにしゃりしゃりと聞こえた。

「あったなあ、そげなときも」

背後から、今度はオートバイの甲高い唸《うな》りが聞こえてきた。シゲ爺が車のスピードをわずかに落として脇の笹藪《ささやぶ》に寄っていく。すると、大きなバイクが二台連なって、かなりのスピードで追い越していった。やれやれ、とシゲ爺が呟《つぶや》いた。

「よそから大勢の人が来てくれるとは嬉《うれ》しいども、同じ分だけ厄介ごとも増えるもんじゃ」

それからしばらく、シゲ爺は黙ってハンドルを握っていた。多少、慣れた感があるとはいえ、やはり町場までは遠い道のりだ。今朝方、いっそ婆さんを殺してでも金を奪ってしまおうと考えていたときのことを思い出した。夜明け前のこの道を、自分は果たして本当に一人で逃げるつもりだったのだろうか。

やっぱりよ、とふいにシゲ爺がまたもや翔人の胸を叩いた。

「ここじゃな、ここ」

「心、根? 心根って、どういうことさ」

何ちゅうかなあ、とシゲ爺はまた考える。返答を待つ間、翔人は暗闇の中を走る自分を思い浮かべていた。この道を、自分の足で、必死で走る姿だ。逃げて、逃げて。婆さんからも、この村からも、何もかも。沖縄の海なんか思い浮かべて。仕方がない、仕方がないと繰り返しながら。

「じゃあ、シゲ爺は、しょうがねえや、なんて、思ったことないのかよ」

思いついて質問しなおす。シゲ爺は、また「しょうがねえや、か」と言ったまま、何ごとか考えている。

「俺、思うんだ。世の中なんてさ、しょうがねえことばっかりだって」

「しょうが、ねえ、かい」

「本当、まじで。だから、何だか俺、どうでもよくなるんだよな」

シゲ爺は一人で頷《うなず》きながら、しばらく何か考えていたが、やがて「要するになあ、ぼう」と口を開いた。

「しょうがねえことも、あるにゃあ、ある。だが、それと、どうでもよくなるっちゅうとは、別もんばい」

「――そうかな」

「しょうがねえからって、何でんかんでん最初から諦《あきら》めちょったら、人間なんて猿からこっち、進歩はせんかったばい」

「――だって」

「自分の力じゃあ、しょうがねえことも、そりゃあ、あるばい。じゃけんど、自分の生き方についちゃあ、しょうがねえって諦めたら、そこで終わりばい。諦めたら、人生なんかやり直せん。どげん若くても」

絶望的なひと言を聞いたと思った。「やり直せない」というひと言が、思った以上に胸に深く突き刺さった。翔人は、シゲ爺の方を見る気も失《う》せて、ただぐったりとシートに身体《からだ》を預けていた。

「おめえも、もうちっと厳しい目にあわんと、駄目かも知れんなあ」

「俺、嫌いなんだよ、キビシイの」

「とっくに分かっちょるばい。そげなことは。おめえはいつじゃって、逃げることばっか考えちょる。多分、小せえ頃からそうじゃったっちゃろう。そげな癖が染《し》みついちょるとじゃ。だが、好《い》い加減、自分から向かってく力をつけんとなあ。やれば出来《でく》るっちことは、俺がいちばんよく分かっちょるとじゃけえ」

「俺が？」

「ああ、やれば出来る。文句言いながらじゃって、山仕事もこなしたじゃろう？　祭りの準備じゃって何じゃって。まあ、今のおめえに必要なんは、ちゃあんつ誰かに見てもらうちゅうことじゃな。そんで、逃げん癖をつけることばい」

「——逃げない癖——つけたら、今なら、まだ間に合うかな」

「まあ、多少、厳しい目で監視してもろうてな。何せおめえ、まだあと六十年から生きるとじゃ。今から諦めちょったら、残りの人生、どんげすっと」

六十年。気の遠くなるような年月だ。そんなに長く生きようとは思わなかった。三十歳どころか、二十五歳の自分だって、今の翔人には想像が出来ないというのに。

「八十過ぎちまう。生きすぎだよ、そんなの」

「阿呆言うな。おスマじょうなんち、もうすぐ九十になるとじゃ。そんで、あんなに頑張っちょるとじゃねえかい。頭はもちろん、目でん耳でん達者で」

「九十？ 婆ちゃんて、そんな歳なの」

思わず身を起こした。かなり歳をとっているとは思っていた。だが、まさか九十になろうとは。翔人は冷や汗の出る気分だった。そんなに生きてきた人を、自分はいとも簡単に殺そうとしていた。あの豊昭以上に、ひどいことをしようとしていた。

「おめえじゃち、今から鍛えりゃあ、これから先が違ってくるばい。そこを逃げっと、そのう――豊昭みてえになるわけじゃ。あそこまで行くと、やり直すっちゅうたって、きついわな。出来んことも、ねえとじゃろうがの」

シゲ爺の言うことは翔人なりに理解できた。だがシゲ爺は知らないのだ。翔人が本気でやり直すためには、行くべきところが決まっている。そこで心を入れ替えて、辛抱するといったって、たとえば死刑は免れたとしても、果たして何年間、過ごすことになるのか分かったものではない。無期懲役などになったら、どうすれば良いのだ。それを考えると、やはり怖かった。そこまでの辛抱など、出来そうにはないと考えていたとき、ポケットの中で携帯電話が鳴った。

「具合、どう？」

黒木美知だった。翔人は「うん」と短く返事をした。もう大丈夫なの。うん。よくなったの。うん。薬、飲んで？ うん——。曖昧《あいまい》な返答を繰り返しながら、また頭が混乱しそうになった。美知の横顔。美知の笑顔。どこかに残っているかも知れない傷跡。レイプされたかも知れないという思い。ああ、どうしてこんなに考えなければならないことが多いのだろう。

「ねえ。聞いてる？ 今日は、どうなの？」

「あ——今、町に向かってる」

「もう？」

「あ、あの、シゲ爺が迎えにきてさ。何か、まだ手伝うことがあるからって」

「そうなんだ。じゃあ、後で会えるね。私も、もう少ししたら出るから」

「あ——」

「中央ステージのところで会おう」

切れた電話をポケットにしまうとき、ついため息が出た。会いたいのか、会いたくないのか分からない。第一、どんな顔をして会えば良いというのだ。

「友だちでん、出来たけえ」

シゲ爺に聞かれて、驚いた。友だち。何と久しぶりに耳にする言葉だろうか。

「友だちは、大事にするとぞ」

「ああ――うん」

「こげな爺さんの説教臭い話じゃのうして、ぼうと同じ年頃の奴と、何でん話してみりゃあ、ええ。多かれ少なかれ、みんな似たごたることで悩んだり、考えたりしちょるはずばい」

さっきから何台もの車やオートバイに追い抜かれてきたが、いよいよ車の数が増えてきていた。こういう機会に里帰りするのは、何も豊昭だけではないらしく、道路の脇や家々の庭先にも、連なって停められている車が目についた。やがて、まだ八時にもなっていないというのに、揃《そろ》いの法被《はっぴ》やハチマキ姿の人々も目につき始めた。

「頭、どうしたの」

祭りの会場で会った美知は、真っ先に翔人の怪我に気がついた。思わず後頭部に手をやりながら、翔人は曖昧に「ちょっと」と答えた。

「——こけて、さ」

「こけた？　どこで、どうやって？」

「——家の中で、ええと、廊下ですっころんだら——そこに窓があって」

「突っ込んだの？　ガラス窓に？」

美知は、信じられないといった表情をしていたが、やがて呆《あき》れたようにくすりと笑った。

「ドジなんだ、意外に」

笑っている。それが、妙に嬉《うれ》しかった。どんな顔をして会えば良いのか、何を話そうかと悩んでいたのが、いっぺんに吹き飛んでいく。

「うるせえ」

「お腹痛くして、約束すっぽかしたかと思ったら、家ん中でまで転んでるって。すごい、踏んだり蹴《け》ったり」

「しょうがねえじゃん」

「ダサい」

「あ、それ言うな。ダサいって」

美知は「何でよ」と言いながら、さらに「だって本当にダサい」と繰り返し笑っている。その笑い声が心地良く沁みていく。彼女が元気で、生きていてくれて、本当に良かったと思った。

18

一日が、夢のように過ぎていった。昨日までは、あんなにひっそりと静まりかえっていたというのに、一体どこから集まってきたのかと思うほどの群衆が、それこそ幻のように立ち現れたような印象だった。家族連れだったり、カップルだったりする人々は、誰もが柔らかい陽射《ひざ》しの中で、翔人の目からは半ば透き通っているようにさえ見えた。

時間ごとに、新しいイベントを案内する放送が流れる。その都度、まるで柔らかい水のように、人の流れが変わる。笑顔が動き、子どもたちの持つ風船や鮮やかな色の服が漂う。年寄りがいて、若者がいた。男がいて、女がいた。みんなが幸せそうで、誰もが「いい人」に見えた。

「イノシシ鍋《なべ》配り始めてるって。食べに行こうよ。暖まるから」

昨日までと同じように、一時間か二時間に一度ずつ、美知が誘いに来た。その都度、翔人は彼女の笑顔を眩《まぶ》しく感じ、やはり、彼女も幸せそうに見えると思った。心に深い傷を負っていることは、知っている。だが少なくとも、今の美知は明るく穏やかな表情をしている。

俺は、あんな顔してない。

何だかひどく淋しかった。自分一人だけが、ここにいる人々とは異なる秘密を抱えている。こんなところでのんびりとイノシシ鍋など食べている場合ではないことを、自分自身がいちばんよく知っている。

たまに、何かの拍子に頭の傷が小さくうずいた。すると、今朝の出来事が蘇《よみがえ》る。婆さんの息子の、何ともいえない醜い顔と、翔人の親父とがダブって見え、そこに翔人自身までが重なって見えてくるような気がした。

午後からは、鶴富屋敷とその周辺で、神楽《かぐら》や太鼓踊りなどの様々な郷土芸能が披露され、ついで平家祭り最大のイベントである「大和《やまと》絵巻武者行列」が行われた。美知と並んで、翔人も行列を眺めた。時代劇で見るような、華やかで豪華な衣装を身につけた鶴富姫と、鎧《よろい》甲《かぶと》姿の那須大八郎に扮《ふん》した若者が、それぞれ輿《こし》と馬に揺られて通るとき、周囲からは歓声が湧《わ》いた。

「やっぱり、何か、いいもんだね」

隣にいた美知が、行列の方に首を伸ばしながら、ウキウキした表情で言った。

「子どもの頃は、もう夏過ぎくらいから、合唱とか神楽の練習とかさせられて、面倒くさいし、こんな古くさい行列なんて全然面白くないのにとか、思ってたけど」

でも、久しぶりに見てみると、意外にいいもんだわ、と美知は言った。

「やっぱり、田舎があってよかった——自分から進んで帰ってきたかったっていうわけでも、ないんだけどね」

雑踏の中で、翔人は美知を見ていた。彼女の横顔は静かだった。

「色々あるけど——また、やり直そうって思えるようになる。いざとなったら、またここへ帰ってくれば、いいんだしね」

そして彼女は、この祭りが過ぎたら、また少しずつ、これから先のことを考えるようにしたいと言った。

「これから先のこと？」

「だって、この歳から人生を諦めるなんて、悔しいじゃない？　もったいないと、自分で思うもん」

「じゃあ——また、村を出るの」

「まだ、分からない。ただ、こっちで仕事が見つかるかどうかっていう問題もあるしね。とにかく、いちばん自分らしい生き方の出来る場所を、見つけたいだけ」

行列が行き過ぎると、ばらばらと見物の人垣が壊れた。手許《てもと》の時計を見て、美知は、頼まれている店番の続きがあるのだと笑った。翔人は、人混みの中に消えていく美知を見送った。一つにまとめた茶色い長い髪を揺らして、後ろ姿が遠ざかる。未来へ。

駄目だ。駄目だ、俺は。

——何せおめえ、まだあと六十年から生きるんじゃ。今から諦めちょったら、残りの人生、どぎゃんすっと。

シゲ爺の言葉が蘇る。あと六十年。六十年もの未来。何かやろうと思えば、大概のことが出来そうな気もする年月。

「どんげじゃったね、行列は」

その夜も、今朝方の出来事など何もなかったのではないかと思うほど、いつもとまるで変わらなく見える婆さんが、食卓に向かい、箸《はし》を動かしながら言った。「うん」と答えたまま、翔人は箸を宙に浮かせ、一点を見つめていた。少しだけ飲んだ焼酎《しょうちゅう》が、身体の中を駆け巡っているせいだろうか、いつになく胸がドキドキしている。

「なあ——婆ちゃん」

「なん」

「婆ちゃんて、もうすぐ九十になるんだってな」

「そうばい」

「だったら――あのさ」

婆さんの額には、バンドエイドが貼《は》られていた。そんな程度の怪我で済んで良かったと思う。

「あのさ」

「なん」

「まだ当分――死なねえ？」

婆さんが、初めてこちらを見た。翔人は、その視線を受け止めることが出来なかった。どうしても、目線が下がってしまう。それでも、言わなければならなかった。

「――死なねえで、いてくれねえかな。あの――俺が、戻ってくるまで」

「行くとかい」

飯のかたまりを飲んだのか、何を飲んだのか分からなかった。とにかく、熱くて大きなかたまりを、ぐっと飲み下し、翔人は一つ、大きく深呼吸をした。

「明日」

「――そうね」

「でも――帰ってきたいんだ、俺」

もう一度、深呼吸だ。思い切って顔を上げた。毎日、かっこん、かっこん、と振り子を揺らしている柱時計が見えた。

「俺には――他に、帰るとこ、ないから」

婆さんの顔を見る勇気がなかった。古ぼけた天井の一点を睨《にら》みつけて、翔人はつばを飲んだ。

「だから――帰ってきたいんだ。ここに」

「行かにゃあ、ならんと」

そんなことはないと言いたかった。時効という奴があるではないか。ここでは誰も翔人を疑っていない。それどころか、誰もが翔人を必要としてくれている。この村で、婆さんの孫として生きていかれるのなら、それで良いのではないかと思った。時効を迎えるまで、昔の落人《おちうど》のように、息をひそめて暮らせば良いのではないか。ひっそり。こっそり。それは、今日一日、何度も考えた。そして、ほとんど清水《きよみず》の舞台から飛び降りるつもりで結論を出した。そんなに長く逃げ続けるのは、嫌だと。

「――一応、さ。色々と、整理しなきゃならないこととか、あってさ」

言いながら、もう後悔している。何を格好をつけているのだと思う。だが、美知の顔が頭に焼きついていた。今のままでは翔人は生涯、彼女と対等に話など出来ないだろう。それに、シゲ爺の言葉通り、これから先あと六十年も生きるのだとしたら、それだけの間、ずっと嘘《うそ》を貫き通す勇気は、ないと思った。

「帰って、来るとね」

「来るよ――約束する」

「――もう、そげに長うは待てんよ。何しろ、婆ちゃんなっちゃからね」

「待っててくれよ――頼むよ」

飯に、涙の味が混ざった。

「俺――婆ちゃんの飯、また食いたいんだからさ。絶対」

ひっく、と、ガキのようにしゃっくりが出た。翔人は箸を握りしめたままの手で、溢《あふ》れる涙を拭《ぬぐ》った。婆さんの手が、翔人の頭に置かれる。また、撫《な》でているのか揺らしているのか分からない力で、ぐい、ぐい、と押してくる。

「待っちょる、待っちょる。婆ちゃんは、ずうっと待っちょるよ。ここに、こうしておる」

自分が急に幼い子どもに戻ったような気分だった。翔人はしゃくり上げながら、婆さんの飯を頬張った。耳の底に「ぼうは、ええ子」という婆さんの声がこびりついた。

翌日、祭りの最終日も、早朝にシゲ爺が迎えにきた。婆さんの握り飯を食べ、「行っておいやれ」と見送られてシゲ爺の車に乗り込むと、翔人は密《ひそ》かに深呼吸をしてから、日向に行きたいのだが、と切り出した。

「乗せてって、もらえねえかな」

「日向？　これからかい？」

シゲ爺はあからさまに困惑した表情でこちらを見る。

「祭りは、まだ今日もあるとぞ。第一、今日が済まんけりゃあ、おめえの取り分じゃって、金を渡してやれんとぞ」

「いいんだ。それは、婆ちゃんに預けておいてくれれば」

「ほんしょうに、今日けえ」

「そうじゃないと、俺——逃げるかも知れねえから」

自分でも不思議なくらいに気持ちは落ち着いていた。昨日の晩、翔人は婆さんにすべてを打ち明けた。自分の本名も、初めてきちんと名乗った。何度も声を詰まらせて、小さい頃からの話もした。婆さんは終始、翔人の手を撫でてくれていた。そして「可《か》哀想《わいそう》に」と言ったのだ。

「ぼうが、ええ子なとは、婆ちゃんがよおく知っとると。じゃから、ちゃんと償っておいやれ。婆ちゃんは、待っちょるから」

そう言われただけで、翔人は不思議なくらいに気持ちが軽くなるのを感じた。まだ何も償ってはいない。明日からすべてが始まるのだと分かっていながら、急に飯の味までが変わったようだった。それを感じて初めて、自分なりに、ずっと気にしていたことなのだと知った。

「頼むよ」

助手席から、翔人は深々とシゲ爺に頭を下げた。頭上から聞こえた「分かったばい」という声は、シゲ爺の声とも思えないくらいに静かに、優しく聞こえた。

エピローグ

翔人が足を向けたのは日向市内にある、国道沿いの交番だった。この土地が九州だとも知らずに、ヒッチハイクして乗せてもらったトラックの運転手を脅しながら、土砂崩れを避けて迂回路《うかいろ》へ曲がろうとしたときに、角に交番があったことが記憶に残っていたからだ。

「ほんしょうにここで、ええとけえ」

記憶していた通りに交番を見つけて、翔人が車から降りようとすると、シゲ爺はわずかに心配そうな表情でこちらを見た。

「俺が逃げないように、ちゃんと見てて。それで、俺があそこに入って、もう出てこないようだって分かったら、知らん顔してさ、すぐに行っていいから」

あの、小さな箱のような交番に足を踏み入れたら、その先、自分はどうなってしまうのだろう。皆目、見当がつかなかった。それでも、行かなければならない。名もない逃亡者ではなく、伊豆見翔人として、生き直すために。

「ありがと。シゲ爺」

　出来るだけ自然に見えるように笑ったつもりだった。だが、顔が強張《こわば》っているのは自分でも分かった。シゲ爺は、よし、と言うように、翔人の肩を強く叩《たた》いた。そして、白い髭《ひげ》がきらきら光る顔で、真っ直ぐにこちらを見て「行ってこい」と言った。

　幸いだったのは、てっきり殺してしまったと思いこんでいた被害者が、実際には思ったほどの重傷も負わずに、無事に生きていてくれたことだった。下手をすれば、強盗致死となっていたはずの翔人の罪状は、その結果、強盗致傷となった。さらに、自首したことが認められて、本来ならば無期または六年以上の懲役となるべきところが、刑罰も半減されることになった。無論、翔人の場合は他に何件ものひったくりをかさねてきたし、コンビニ強盗も犯している。だが、翔人が自分からそれを言っても、結局、証拠が見つからなかったり、被害者自身が見つからなかったりして、事件として立証することの難しいものの方が多かった。数カ月の裁判の後、翔人に下った判決は懲役四年六カ月。実刑だった。

「ひったくりくらいって、軽く考えてるかも知れないがね、相手の身体と財産の両方に損害を与えれば、日本の刑罰は重くなる。そのことを、もっと他の若い連中も知っておいていいんだ。君はこれから貴重な二十代の大半を刑務所で過ごすことになる。だが、人生は長い。自分のこれから先のことを考えて、よく務めることだ」

国選の弁護人は、翔人が控訴しないと意思表示をすると、満足そうに頷《うなず》いて、そう言い残していった。そして翔人は、そのまま近畿地方の刑務所に収監された。

刑務所に入っている間、両親や弟はもちろん、他の誰一人として連絡を寄越すものもなければ、無論、面会人などもなかった。日々を過ごすうち、やがて翔人は、あの山深い村のことも、目の前を通り過ぎていった武者行列も、すべてが夢か幻だったのではないかとさえ思い始めるようになった。それでもやはり、婆さんに会いたかった。もう一度、あの家の茶の間に座り、固くしまった菜豆腐を味わってみたかった。それだけを思って、毎日を過ごした。

仮釈放が認められて出所したのは、それから三年後のことだ。翔人は既に二十七歳になろうとしていた。

「どっか、行くあてはあるのかい」

仮釈放後、担当となった保護司に尋ねられたときにも、だから翔人は、すぐに「会いたい人がいる」と答えた。本当は、恐怖心もあった。あんなに毎日、会いたいと思ってきたのに、いざとなると不安の方が大きくなる。第一、これで自分は正真正銘の前科者になった。そんな自分を、以前と同じように、またあの村が受け容《い》れてくれるとは到底、思えなかった。

「会いたい人？」

「俺に、自首をすすめてくれた人です。出たら、会いに行くって約束したんです——生きてるか死んでるか、分からないんですが」

仮出所中は、無断の転居や長期の旅行などは認められていない。要するに、思いつきで簡単に行動することは出来なかった。だから保護司に許可を得た上で、翔人は椎葉を目指すことにした。

初めて行ったときは着の身着のまま、どこへ向かうかも分からない旅だった。そこから引き返してくるときは、両脇を警察官に挟まれての「移送」という形だ。椎葉村のきちんとした場所を知り、確かめることが出来たのは、刑務所に入れられて、図書室で借り受けた地図やガイドブックを見てからだった。

最初に地図で椎葉村を見つけたときの驚きは、今も翔人の中に鮮やかに残っている。何とまた山深い土地だろうかと、思わずため息が出た。さすがに平家の落人が生き延びただけのことはある。そして、こんな山奥の土地で、もしかすると本当に自分の帰りを待ってくれているかも知れない人がいると考えただけで、胸が熱くなった。

それにしても椎葉は遠い。新幹線では運賃が高いと思うから夜行を選び、大阪を夜発《た》って早朝に小倉に着き、今度は九州を南下するという方法をとった。ようやく日向市まで着いたときには、保護司のところを出てから十二時間以上も過ぎていた。椎葉村まで行くバスは、日に三本。朝、昼過ぎ、夕方だ。

いわゆる娑婆《しゃば》の空気そのものが珍しい。翔人は久しぶりに戻ってきた町をぶらぶらと歩き回り、昼飯はコンビニでカップ麵《めん》を買うことにした。身体には、この数年の刑務所暮らしが染《し》みついている。ほとんど自然食に近い食生活を送っていた翔人にとって、昔は当たり前のように食べていたカップ麵の味は、ひどく濃く、塩辛く感じた。

二時過ぎにバスは出発した。かつて、親切なトラック運転手をナイフで脅しながら進んだ道。また、シゲ爺の隣で、この世の終わりのような心持ちで通ったのと、おそらく同じ道を、今度は老人たちの雑談を耳にしながら、ごとごとと進む。三年ぶりに見る起伏のある風景は目に鮮やかで、ことに緑が美しかった。

途中、バスの振動が心地良くて、つい居眠りをした。気がつくと、乗客の数が減っている。また眠る。目が覚める。いつしか乗客は翔人だけになった。山がますます深くなる。そうして椎葉に着いたのは、もう山の端に日が隠れる頃だった。バスを降りた瞬間、翔人は、ほとんど眩暈《めまい》にも似た感覚を味わった。

町には、いたるところに「平家祭り」のポスターが貼《は》られていた。電柱からは小さな旗が下がっており、商店の軒先には可愛《かわい》らしい提灯《ちょうちん》が揺れている。

また、祭りの季節が来ていたのか。

西の空は鮮やかな朱色に染まっていた。人々の姿が、まるで幻のように見え始めている。バスに乗る前は感じなかったのに、急に冷え込みさえきつくなってきたようだ。そう、ここは山の奥だった。寒くて当たり前の土地なのだということが、今ならばよく理解できる。

「お兄ちゃん、ちょっと頼まれて」

ナイロン袋を一つ提げただけで、ぶらぶらと歩いていたら、ふいに人の声が聞こえた。やはり、今でもお兄ちゃんと呼ばれる人がいるのだとおかしくなった。

「ほれ、お兄ちゃん」

また声がする。何気なく振り返ると、どこかで見たことのある顔が、こちらに向かって手招きをしていた。

「お兄ちゃん。待っちょったばい」

くまさん。

そう。確か、そう呼ばれていたおばちゃんだ。名前か名字か、またはあだ名かは分からないが、そう呼ばれていたおばちゃんが、当たり前のように笑っていた。

「いつ往《い》んできたと」

「あ――今」

「そうかね。去年も一昨年も往んでこんかったかい、どんげしちょったたっちゃろうっち、みんな心配しとったとよ。よかったねえ。おスマじょうも、喜んじょってでしょうが」

「あ、あの、婆ちゃんは」

心臓が、とん、と跳ねた。くまさんは、「さあて」と、腰を伸ばすような、辺りを見回すような格好をして、そういえばこの数日は会っていないと答えた。

「会ってないって――じゃあ、元気、なんだ。うちの婆ちゃん」

「当たり前じゃわ。元気も元気も。百までは畑仕事するっち言うとる人じゃけえ。ねえ、ちょっと、それより手伝うて欲しいとじゃわ」

くまさんが、いそいそと何かしゃべり出そうとしたときに、薄闇の向こうから数人の人影が現れた。その中の一人が「おっ」と声を上げた。

「ぼうじゃねえか」

間違いなく、シゲ爺の声だった。翔人は両頰が痺《しび》れるような感覚を味わいながら、くわえ煙草《たばこ》で近づいてくるシゲ爺を見ていた。本当は、こちらから駆け出したいのに、どうしても足が前に出ないのだ。

「——シゲ爺」

「往んだと」

「今——今さっきのバスで」

煙草の煙が目にしみるのか、顔をくしゃくしゃとさせながら、シゲ爺はしばらくこちらを見ていたが、やがて、ぱっ、ふうっ、と煙を吐き出すと「そうか」と言った。

「ちょうどよかった。わしも今、往ぬるとこばい」

そして、シゲ爺は翔人の背中をどん、と叩いた。薄闇の中で、シゲ爺の顔が笑っていた。

「おスマじょうも喜ぶじゃろう。喜びすぎて、くたばるかも知れん。何しろもう一回、おめえの面《つら》ぁ見るまでは絶対に死なんぞって、頑張っちょるとじゃけえ。なあ」

言いながら、シゲ爺の手が何度も何度も、翔人の背を撫《な》でる。くまさんが半ば諦《あきら》めたような笑顔で「じゃ、明日頼むわ」と言った。

「分かった。明日、ちゃんと手伝うから」

「待っとるよ」

「頼りにしちょるよ」

「これで、今年は黒木のみっちゃんも帰ってきてくれると、また賑《にぎ》やかになるっちゃどもねえ」

黒木美知。久しぶりに聞いた名前だった。気がつけば数人の老人が集まってきて、誰もが見覚えのある笑顔でこちらを見ていた。かけられた言葉が、滲《にじ》む夕陽と一緒に、翔人の中に染み込んでいった。帰ってきた、と思った。

「こき使われるぞ、こりゃあ」

隣にいたシゲ爺が、また翔人の背を撫でる。こんなに触られても、撫でられても、もう自分は消えたりしない。もう、しゃぼん玉ではなくなったと思った。

解説

北上次郎

乃南《のなみ》アサほど、幅広いジャンルの小説を書いている人はいないのではないか。日本推理サスペンス大賞優秀作を受賞した『幸福な朝食』の印象が強いので、サスペンスの名手というイメージが先行しているが（いや、たしかに名手なのだが）、女性刑事の孤独な戦いを描く直木賞受賞作『凍《こご》える牙《きば》』や、『あなた』に代表されるホラー小説などをサスペンスとしてくることは出来ても、その枠内をはみ出していく作品も少なくない。

たとえば、『結婚詐欺師《さぎし》』は騙《だま》す男と貢《みつ》ぐ女、追いかける刑事という三《み》つ巴《どもえ》の犯罪ドラマだし、『ボクの町』『駆けこみ交番』は、新米派出所警官を主人公にした青春小説だ。職人たちの人間模様を描く『氷雨心中《ひさめしんじゅう》』や、私小説の味わいを残す短編集『二十四時間』のような作品もある。これだけでもバラエティに富んでいるが、犯罪被害者の家族の問題を描いた『風紋』、被害者と加害者の子供たちの運命を描いた『晩鐘』

は、もはやサスペンスという枠をはじき飛ばすほどの傑作といっていい。これらは犯罪とその後の物語だ。それを巧みな造形と描写力でたっぷりと読ませて強い印象を残している。特に、いまでも忘れられないのは、昔の婚約者の謎《なぞ》を追う『涙』という長編で、プロットの展開もさることながら、そこに重ね合わせた人間ドラマが秀逸であった。

という文脈で考えれば、本書はまさしくそういう乃南アサでしか書けない小説といっていい。ここにも犯罪はある。伊豆見《いずみ》翔人《しょうと》は、通り魔や強盗傷害を繰り返している若者なのである。自転車やバイクに乗って、通行人のバッグを強引にひったくることを繰り返しているが、「相手が怯《ひる》み、ついでにいえば、ちょっとした悲鳴でも上げてくれれば、それで十分のつもりだった。背中越しに聞く女の悲鳴は良いものだ。ほんのわずかでも、キャッとか、イヤッとか、そういう声を聞いただけで、頭の中がすっとする」と考えて、たまたまナイフを手にしたら、手元が狂って相手の服を破り、肉の中に深く食い込んだ手応《てごた》えが伝わってくる。やべえ、と思って急いで現場を離れるところから、本書は始まっていく。ようするに深い考えはないのだ。無軌道な若者といっていい。その述懐の二連発を引いておく。

「自分は生涯、しゃぼん玉のように、ただ漂って生きていく。そしていつか、どこかでパチンと弾《はじ》けて消える。それだけの存在のはずだ」

「こういう一生は、きっと最後の最後まで、このままなのだ。どこかで弾けて消えるまでの間だけ、ふわふわと漂っているより仕方がない。いずれにせよ、そう長いことではない。何分も漂い続けられるしゃぼん玉がないのと同じように」

走るのが嫌いな翔人にとって、コンビニ強盗は逃げるときが厄介で、一度やってみて懲《こ》りてしまった。で、ケチなひったくりをしていたのだが、もしかして殺人まで犯したのかもしれないのに、バッグに入っていたのは一万円ちょっと。これじゃあ、割に合わないよなあと思う。で、ヒッチハイクしたら山の中の暗闇《くらやみ》に放り出され、夜明けになって歩いていたら、横倒しになっているスクーターに遭遇する。これはラッキーと思ったら、「ぼう、ぼう」と低い声が聞こえ、驚いて辺りを見回すと老婆《ろうば》が繁《しげ》みの中にいる。「ええとこ来てくれた。やれ助かった。なあ、ぼう」と老婆は言う。仕方なく、老婆を背負っていくことになる。

ひったくりから始まった物語は、意外な方向にどんどんズレていくのである。老婆の家について医者を呼び、病院に付き添った後、昼食が出てくる。手打ち蕎麦《そば》に、山盛りの飯。煮物に和《あ》え物、漬物などが食卓に並んでいて、翔人は感激。それは山深い里に住む老婆にとっては普通の食事なのだが、長い間、丼《どんぶり》一つで済んでしまう食事をしてきたので、すげえ贅沢《ぜいたく》だと彼は思う。もちろん、感激はしても、まだ改心などしていない。だからこんなことを考える。

「こうなったら、ある程度の金と、バイクでも車でも構わない、何とか大きな町までたどり着く手段が必要だった。バイクは、いざとなったらこの家の玄関先に停めてあるスーパーカブで構わない。つまり、肝心なのはやはり金ということだ」

ところが、家捜しするものの、めぼしいものはなく、そのうちに近所の老人シゲ爺《じい》の山仕事を手伝うことになり、翔人は老婆スマの孫ということになってしまう。老婆スマとの二人暮らしが始まるのだ。

ここからどういう物語が始まるかは本書をお読みいただきたい。無軌道な生活をしていた都会の若者が山奥の村で、老人と暮らすことで改心していく話——と言ってしまえば簡単だが、それをどう説得力をもって描いていくか、だ。骨格はシンプルでも、その肉付けは意外に難しい。下手をすると、陳腐な話になりかねない。乃南アサが群を抜く人物造形と挿話を積み重ねて、いかにダイナミックな成長小説に仕立てあげるかは、読んでのお楽しみにしておく。

一つだけ書いておくと、本書のちょうど真ん中あたりに、翔人が山の仕事に駆り出され、くたくたになって帰ってくる挿話に留意。シゲ爺と老婆スマに褒められて、彼はくすぐったい気持ちになるのだが、その翌日のくだりにこうある。

「だが翌朝、筋肉痛と共に目覚めたときには、最悪の気分になっていた。この何年か、いつもそうなのだ。予備校も、学校も、アルバイトも、パチスロ通いでさえ。せっかく行き始めても次の日になると、何ともいえず嫌な気分になってしまう」

続けて引く。

「どうしてなのか、自分でも分からなかった。本当に、最初は張り切っているのだ。今度こそ続けよう、続けられそうだと、心の底から思うのだ。それなのに翌朝になると、もう気分が変わっている。すべてが馬鹿馬鹿しくて、面倒くさくて、何をやってもうまくいかないような気がしてしまう。その結果、翔人は何もかも放り出してきた」

小悪党が小悪党であるゆえんを巧みに描くこのくだりに感服する。人はなぜ無計画な悪事に走るのかを説得力を持って描きだした藤原審爾《ふじわらしんじ》のうまさを彷彿《ほうふつ》させるくだりといっていい。陳腐すれすれの手垢《てあか》のついた話を、鮮やかな物語に転換してしまうのは、こういう描写力、観察力にほかならない。小説はストーリーではなく、技術であることを見事に証明していると言い換えてもいい。

もう一つは、道具立てのうまさだろう。スマの親不孝な息子を登場させたり、通り魔に襲われた傷をいまだにかかえる美知を登場させたりして、翔人を観察者にするというプロットのうまさは見逃せない。そしていちばんは、「ぼうが、ええ子なとは、婆ちゃんがよおく知っとると」というスマの造形だ。これは、親の愛に恵まれず、その場しのぎの犯罪を繰り返すしか生きる術《すべ》を知らなかった青年が、老婆と村人との生活の中で、

「自分がしゃぼん玉であることを忘れかけていた。老人との生活も、毎日の食事も、沸かしたての熱い風呂《ふろ》も、ここでの生活の何もかもが珍しくて、つい、居心地が良いような気分になっていた」

という感情が芽生え、ついには、しゃぼん玉でなくなるまでの日々を描いた物語だが、翔人を立ち直らせるのは、そのスマの愛だ。巧みな挿話と造形が、その愛を背後で支えている。そういう言葉をおそらく一度もかけてもらったことのない翔人の身体《からだ》の奥深くまで、スマの言葉は染《し》み渡《わた》っていく。手に持った本からゆらゆらと立ちのぼり、読み手の心にまで伝わってくる。だからラストで、目頭がじんと熱くなってくるのだ。

（平成十九年十二月、文芸評論家）

この作品は平成十六年十一月朝日新聞社より刊行された。

乃南アサ著　死んでも忘れない

誰にでも起こりうる些細なトラブルが、平穏だった三人家族の歯車を狂わせてゆく……。現代人の幸福の危うさを描く心理サスペンス。

乃南アサ著　凍える牙
直木賞受賞

凶悪な獣の牙——。警視庁機動捜査隊員・音道貴子が連続殺人事件に挑む。女性刑事の孤独な闘いが圧倒的共感を集めた超ベストセラー。

乃南アサ著　女刑事音道貴子　花散る頃の殺人

32歳、バツイチの独身、趣味はバイク。かっこいいけど悩みも多い女性刑事・貴子さんの短編集。滝沢刑事と著者の架空対談付き！

乃南アサ著　ボクの町

ふられた彼女を見返してやるため、警察官になりました！　短気でドジな見習い巡査の真っ当な成長を描く、爆笑ポリス・コメディ。

乃南アサ著　行きつ戻りつ

家庭に悩みを抱える妻たちは、何かを変えたくて旅に出た。旅先の風景と語らいが、塞いだ心を解きほぐす。家族を見つめた物語集。

乃南アサ著　涙（上・下）

東京五輪直前、結婚間近の刑事が殺人事件に巻込まれ失踪した。行方を追う婚約者が知った慟哭の真実。一途な愛を描くミステリー！

乃南アサ著

夜離《よが》れ

結婚に憧れる女性たちが、ふと思いついた企みとは？　ホントだったら怖いけど、どこか痛快！　微妙な女心を描く6つのサスペンス。

乃南アサ著

5年目の魔女

魔性を秘めたOL、貴世美。彼女を抱いた男は人生を狂わせ、彼女に関わった女は……。女という性の深い闇を抉る長編サスペンス。

乃南アサ著

あなた（上・下）

彼女をとっかえひっかえしているお気楽な浪人生秀明。受験の年の元日の未明、異変が彼を襲った。哀しくて切ない、青春ホラー大作。

乃南アサ著

女刑事音道貴子
嗤う闇

下町の温かい人情が、孤独な都市生活者の心の闇の犠牲になっていく。隅田川東署に異動した音道貴子の活躍を描く傑作警察小説四編。

乃南アサ著

二十四時間

小学生の時の雪道での迷子、隣家のシェパードの吐息、ストで会社に泊まった夜……。短編映画のような切なく懐かしい二十四の記憶。

乃南アサ著

駆けこみ交番

閑静な住宅地の交番に赴任した新米巡査高木聖大は、着任早々、方面部長賞の大手柄。しかも運だけで。人気沸騰・聖大もの四編を収録。

東野圭吾著
鳥人計画
ジャンプ界のホープが殺された。ほどなく犯人は逮捕、一件落着かに思えたが、その事件の背後には驚くべき計画が隠されていた……。

東野圭吾著
超・殺人事件
―推理作家の苦悩―
推理小説界の舞台裏をブラックに描いた危ない小説8連発。意表を衝くトリック、冴え渡るギャグ、怖すぎる結末。激辛クール作品集。

石田衣良著
4TEEN【フォーティーン】
直木賞受賞
ぼくらはきっと空だって飛べる！　月島の街で成長する14歳の中学生4人組の、爽快でちょっと切ない青春ストーリー。直木賞受賞作。

石田衣良著
眠れぬ真珠
島清恋愛文学賞受賞
人生の後半に訪れた恋が、孤高の魂を持つ咲世子を少女に変える。恋人は17歳年下。情熱と抒情に彩られた、著者最高の恋愛小説。

石田衣良ほか著
午前零時
―P.S.昨日の私へ―
今夜、人生は1秒で変わってしまうと、知りました――13人の豪華競演による、夜の底から始まった、誰も知らない物語たち。

石田衣良著
夜の桃
少女のような女との出会いが、底知れぬ恋の始まりだった。禁断の関係ゆえに深まる性愛を究極まで描き切った衝撃の恋愛官能小説。

北上次郎編

青春小説傑作選 14歳の本棚 —初恋友情編—

いらだちと不安、初めて知った切ない想い。大人への通過点で出会う一度きりの風景がみずみずしい感動を呼ぶ短編小説セレクション！

「小説新潮」編集部編

眠れなくなる 夢十夜

ごめんなさい、寝るのが恐くなります。「こんな夢を見た。」の名句で知られる漱石の『夢十夜』誕生から百年、まぶたの裏の奇妙なお話。

新潮社
ストーリーセラー編集部編

Story Seller

日本のエンターテインメント界を代表する7人が、中編小説で競演！ これぞ小説のドリームチーム。新規開拓の入門書としても最適。

池波正太郎
平岩弓枝
松本清張
山本周五郎
宮部みゆき 著

親不孝長屋 —人情時代小説傑作選—

親の心、子知らず、子の心、親知らず——。名うての人情ものの名手五人が親子の情愛を描く。感涙必至の人情時代小説、名品五編。

池波正太郎
山本周五郎
滝口康彦
峰隆一郎
山手樹一郎 著

素浪人横丁 —人情時代小説傑作選—

仕事もなければ、金もない。あるのは武士の意地ばかり。素浪人を主人公に、時代小説の名手の豪華競演。優しさ溢れる人情もの五編。

阿川佐和子・角田光代
沢村凜・柴田よしき
谷村志穂・乃南アサ
松尾由美・三浦しをん 著

最後の恋 —つまり、自分史上最高の恋。—

8人の女性作家が繰り広げる「最後の恋」をテーマにした競演。経験してきたすべての恋を肯定したくなるような珠玉のアンソロジー。

しゃぼん玉《だま》

新潮文庫　の-9-36

平成二十年二月一日発行
平成二十三年六月十日十一刷

著者　乃《の》南《なみ》アサ
発行者　佐藤隆信
発行所　株式会社新潮社
郵便番号　一六二―八七一一
東京都新宿区矢来町七一
電話　編集部(〇三)三二六六―五四四〇
読者係(〇三)三二六六―五一一一
http://www.shinchosha.co.jp

価格はカバーに表示してあります。

印刷・錦明印刷株式会社　製本・錦明印刷株式会社

ISBN978-4-10-142546-7 C0193